尋找結衣同學 I

不安的啟程

胡杰・著
迷子燒・繪

目次

#【各界名家推薦】

天外降下漂亮妹子已經是爛大街的開場，但胡杰老師還是硬生生玩出了新意。

像是在反駁書名，結衣同學根本就不用找，一開始所有讀者都知道她在床上，但隨即洶湧而來的卻是無數個疑惑，最直接的第一個問題就是「為什麼結衣同學會在這」，再來就被巧妙的文字安排以及一刻都慢不下來的劇情帶進重重的迷霧中。

結衣同學不見了，結衣同學在床上，如果是二次元的故事，我們可以期待角色們曖昧的發展，但這是一本「三次元」的小說，只要是正常人都知道，消失的漂亮妹子憑空出現在床上，那等待的絕對是無盡的麻煩。

於是這本書始終給我一種半真半假的錯覺，似乎《尋找結衣同學》是現實世界可能發生的事，如同處於三次元的小說，詭異或荒誕的展開卻意外地帶來強烈的真實感。

最後，請安心地將某個下午時光交給胡杰老師吧，經歷著離奇的事件發生，享受意料之外的詭局設計，再意猶未盡地合上這本書，必定深感值得。

——啞鳴（本土輕小說天王作家）

作者將主角的腦內小劇場描寫得細膩又生動，讓人笑開懷的同時也想對作者喊話：能將主角的心態三百六十度無死角地呈現出來，是因為你根本在寫自己吧？

——主兒（推理作家／《哎喲！這具屍體只有六十分》作者）

以熟悉的土地為世界觀，不僅貼近台灣讀者的日常印象，更以第一人稱視線進行故事主軸；不用艱澀的語彙，藉由直白又清晰可見的細節描述，領著讀者彷彿進入一場又一場精采刺激，峰迴路轉，又不時令人莞爾一笑，建構出充滿即視感又身歷其境的VR世界！

——陳小羊（好大玩具主編）

天外飛來的裸女（上）

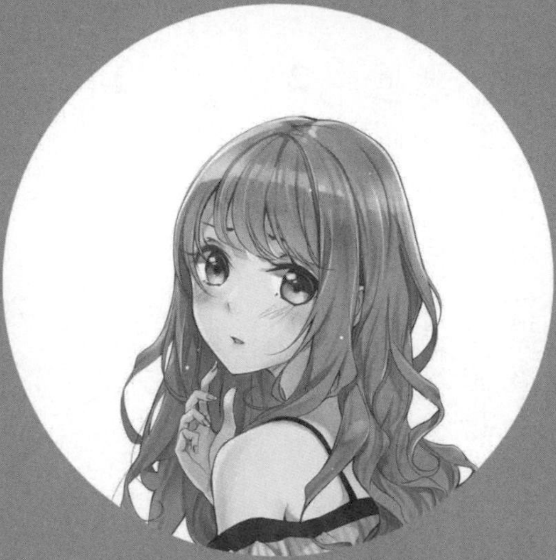

1

一覺醒來，我的床上卻莫名其妙多躺了個女人……

2

這應該是在小說、漫畫、電影或電玩的虛構世界裡才會上演的劇情吧。

要不然，就是像我這種欲求不滿者夜夜思春時的橋段，而沒可能被搬到現實世界中。

一覺醒來，頭痛欲裂，而我的床上多躺了個女人。

現實世界中豈有這種好事？哪個女人頭殼壞去，會對向來沒什麼桃花運的我投懷送抱？

怎麼想都不可能。

除非，是哪個詐騙集團的仙人跳技倆。就像社會新聞報導的那樣，他們會趁當事人還在狀況外時不請自來，殺得當事人措手不及，以便獅子大開口地勒索要脅……

想到這裡，我一個箭步跳下床，衝去房外的客廳鎖上屋門，再回到我的套房裡鎖上房門。

然後坐在書桌前的竹凳上，誠惶誠恐地等著。

半個鐘頭過去，房門與屋門外都沒有動靜。此時，我低頭一看……

要死了！我的身上，還只穿著內衣和內褲呢！

內衣和內褲……

被我們逮到了吧？你這傢伙，分明就是要對她不軌！

我沒有、我沒有！

還說沒有？那你為何沒穿外衣、外褲？

我……

沒話講了吧？走，去警局！

警局？不、不要啊！

不要去警局？那就把遮羞費付一付吧！金額是……

嗚……

因此，就算人沒在床上，我面對詐騙集團時一樣百口莫辯。

我匆匆換上較正式的服裝以備不時之需，坐回竹凳上繼續等。只聽見窗外摩托車的呼嘯聲此起彼落、不絕於耳。

等著等著，我的眼皮漸漸變重。詐騙集團怎麼還不來啊？動作那麼慢！

八成是昨晚的宿醉未消使然，我的意識愈來愈模糊，眼皮也愈來愈不聽使喚了。於是坐到床上，背靠著床頭小瞇一下。

小瞇一下、小瞇一下就好……

小瞇一下……

當我被自己的口水嗆醒時，已經是又兩個鐘頭後的事了。

我用手背擦去口水，看了看手機螢幕上的時刻，上午十點十七分二十一秒、二十二秒、二十三秒……

房門外頭，還是一片寂靜。

如果是詐騙集團的話，這夥人也太不專業了吧？耽誤了我兩個多鐘頭，還不見個鬼影？

莫非，他們是選擇用親自現身以外的方法恐嚇我，以策安全？

我又乾等了半個多鐘頭。期間，我的手機來電沒響、臉書專頁上不曾新增奇怪的留言，也沒半個人Line我。

手機簡訊與e-mail信箱內，亦乏善可陳。

如果有詐騙集團的官方網站與聯絡電話就好了。這樣我就可以主動出擊，敦促他們：

「喂！快一點、快一點行嗎？別再摸魚啦！現在都已經、現在都已經……」

都已經要上午十一點啦！

既然遲遲等不到詐騙集團與他們的訊息，那我一定就是在做夢了。

我從床上起身，先進廁所撒了泡尿，接著把洗手檯的水龍頭往低溫方向開到最大，在這種寒天裡狠狠洗了把臉。

剎那間，臉上每一處的毛細孔似乎都縮了起來。

用手一捏，臉分外結實有勁。不，光捏還不夠。我又對著洗手檯上的鏡子用力掌摑了自己好幾下，再轉頭向床看去。

床上的女人還在。

我不得不繼續掌摑，直到臉都紅了，再轉頭向床看去，床上的女人還在。

臉好痛。不行了，換成拍打大腿吧！劈哩啪啦、劈哩啪啦、劈哩啪啦……

痛痛痛！見鬼啦，床上的女人還在。媽呀，她再不消失，我都要痛得暈過去了。

神啊、神啊，請讓我醒過來，重回現實世界中吧……

我從不為非作歹，一向是個心地善良的好人。善有善報，惡有惡報。算我求求祢了！

請讓我醒過來吧、請讓我醒過來吧……

閉目合什後，我睜開眼睛，轉頭向床看去。

床上的女人還是在。

我已無技可施，澈底認輸了！

雖然不甘心，但不能不承認這是實實在在的事：我一覺醒來，床上卻莫名其妙多躺了個女人。

3

在棉被的覆蓋下，女人朝她的左側躺在床的右半邊。從我所在的廁所方位，只能與她留著長髮的後腦杓遙遙相望。

說來好笑。蹉跎了一上午，我都還不知道她是生是死呢。

如果，躺在那兒的是具屍體呢？

不由得想起我大學時代曾讀過的日本短篇小說「無關的死」，作者是有「髮量」厚、戴的「眼鏡框」厚、作品「含意」深厚等「三厚」特徵的偉大作家安部公房，講述了一個M公寓第七號房的住戶A返家後，費盡九牛二虎之力與屋內一具天外飛來的無名屍「搏鬥」的慘烈故事。

到頭來，做事拖泥帶水、瞻前顧後的A進退維谷，陷入將那具無名屍丟棄也不是、窩藏也不是、置之不理也不是的無望絕境……

這會不會就是我的寫照呢？我悚然而驚。

急於印證的我步出廁所，踏著拼花地板接縫的紋路躡手躡腳，繞到床右與牆壁的空隙蹲下。映入我眼簾的是一張睡臉，讓我如釋重負。

什麼「無關的死」嘛！都怪我太愛胡思亂想了。不過話講回來，她應該是個二十出頭的大學女生吧？即使五官因側躺而被臉龐擠壓得略失原貌，但仍掩飾不去在她緊閉下，那對長長的眼皮。

也就是說，她有雙大眼睛；這正合我的胃口。

乍看她上眼皮的睫毛，像洋娃娃似地又濃又翹。都說現在的年輕女生花樣很多，也不曉得她濃翹的睫毛是真的，還是假的？

如果是假睫毛，是被貼上去的，還是被種上去的？算了，這一點也不重要。

重要的是，她被棉被覆蓋下的身體。

我向兩個多鐘頭前就被我鎖實的房門回頭，多此一舉地確認安危無虞。房門內沒有多出第三個人來，房門外也靜悄悄地。

接著，我便伸出左手，從上往下緩緩掀開棉被。

我的心臟都快跳出來啦。然而，才掀了兩、三秒鐘，什麼東西都還沒看到，我就打退堂鼓了。

因為，我的手抖得太過厲害。而且從上往下掀開棉被，很容易被她醒過來時，逮個人贓俱獲。
我對著她的睡臉，嚥了好幾次口水。
不如，遠離她的視野，從下往上掀開棉被……
我對著她的睡臉又嚥了好幾次口水，再朝棉被尾端伸出我的左手。不料一個施力過猛，左手掌滑進棉被裡了。
Shit……
正要將左手掌抽回時，指尖碰到了某樣東西。
觸感滑嫩而軟綿綿地，教人依依不捨。摸起來不像是這舊棉被、也不像是這二手床單的質感。
那是她身上的什麼部位呢？
我抽回左手掌，改用抖得沒那麼厲害的右手，從下往上緩緩掀開棉被。
一公分、兩公分、三公分……
狂嚥不止的口水快淹到喉嚨了。可是，謎底還沒揭曉呢，她的下半身就在棉被裡動了起來。
「啊……嗯……」
不得了了。口中唸唸有詞的她，睡臉向右轉了轉後，面朝天花板……
要醒了不成？
我嚇得半死。想也不想，就委身往床底下縮了進去。
從沒被我打掃過的床底下灰塵、毛球、蜘蛛網樣樣不缺，還有一股刺鼻的酸臭味，聞久了必吐，但我已管不了那麼多。
因為，要是被她發現，我就完蛋了……

且慢。

為什麼？為什麼被她發現，「我」就完蛋了？

這裡可是我的地盤啊！是我先墊了兩個月押金後、月付一萬八千元租的套房啊！

憑什麼是「我」完蛋？完蛋的應該是「她」吧！隨隨便便闖進別人的窩裡倒頭就睡，成何體統？

我有什麼好怕的？對不對？

對不對？

不對、不對……

就算這裡是我租的套房，事情還是沒那麼單純。

萬一她醒來後反咬我一口，說是我把她帶回來性侵的呢？

> 我一直哭著求他，他還是不肯放過我，簡直就是惡魔……

更何況，我的年紀又大她那麼多。旁人聽了她一面之詞，都會站在她那邊，而不會站在我這邊的。

這不是在誰的地盤的問題，在誰的地盤都一樣。因此，我屏氣凝神縮在床底下，大氣也不敢喘一下。

4

說是大氣也不敢喘一下，但當床底下刺鼻的酸臭味聞到我反胃時，我還是禁不住「嘔」了一聲。

逆流到食道的胃液，讓我難受得弓起身子。

不行了。再不出去透口氣的話，我會死在這床底下的。

被發現就被發現吧，總比死掉強。我輕咳了咳，從床底下探出頭來。

房內的空氣氣流如常，似乎沒什麼異狀。我慢慢地、慢慢地蹲回到床右與牆壁的空隙間，伸長脖子。

只見床上的女生面朝天花板仰躺著，又睡死過去了。

原來，她剛才只是在調整睡姿而已，害我自己嚇自己。幸好，暫且我是過關了。

然而睡姿改變後，她的五官也隨之清晰了起來。我一看，有些眼熟。

她是我所認識的人。

但是，是誰呢？除了一雙大眼睛外，她有張圓圓的臉與尖下巴、白裡透紅的皮膚、小巧而精緻的鼻子與嘴唇，還有略高的髮線與圓潤的額頭……

長得很像、長得很像……

長得很像學生跟我提過的一個日本明星，名字是四個字的。

嘿，這不是廢話嗎？少數三個字與五個字的不算，日本人的名字不是十之八九都是四個字嗎？

是哪四個字呢？

印象裡，好像有一個希望的「希」字，還有一個木頭的「木」字。是叫希什麼什麼木，還是叫木什麼什麼希？

還是叫什麼希什麼木，還是叫什麼木什麼希？

可惜，我早過了追逐偶像的年紀。如果被問及新一代的日本明星，我一個也答不出來。

傷腦筋。這種時候，與其仰賴我愈來愈不靈光的大腦，不如拿起手機，在搜尋引擎網頁上的「關鍵字」欄位中輸入一個「希」字，空一格，再輸入一個「木」字。

再空一格，輸入「日本明星」四個字後，按下網頁上的搜尋鈕。

搜尋結果出來了、出來了，我來看看……對，學生提過的就是這個人，「佐佐木希」！

佐佐木希是一九八八年二月八日出生在日本秋田縣的當紅模特兒與藝人，以面孔精緻、甜美而酷似洋娃娃著稱，並名列二零一一年《日經雜誌》評選的二十名日本最美女優的首位。

唱片、廣告、電視劇、電影作品洋洋灑灑。她被放在網路上的寫真圖片，無論是衣服穿得很多的宣傳照，或是穿得很少的清涼照，可說是張張吸睛、張張引人遐思。

不過，在人氣爆紅的同時，她的負面新聞好像也沒有斷過。

在洋娃娃的面孔下，赫然有著不足為外人道的過去嗎？據說，在被經紀公司訓練、包裝而出道前，她可能是家鄉中學裡素行不良的小太妹。

小太妹？這是真的嗎？

媽呀。不是在哪個PTT上曾看過這句話：「太妹，其實是不少正妹的養成班」嗎？

網路上頭，疑似佐佐木希染金髮而吊兒郎當的中學舊照，看得我傻眼不已。

這張令人綺想幻滅的照片，與現在仰躺在我床上的這位面孔精緻、甜美而酷似洋娃娃的女生之間，產生了強烈的反差。

強烈到不行的反差。照片，會不會是偽造的呢？

當然，現在仰躺在我床上的女生並不是佐佐木希本人，而是來自於日本姊妹校的交換學生。

她的名字呢，中文唸起來是「由一」，羅馬拼音是Yui，日文漢字是「結衣」。

姓氏是……

「森永」與知名的牛奶糖品牌相同。所以，她的全名叫做「森永結衣」，二十歲。

我在關鍵字欄位中輸入「結衣」這兩個字後，前幾名的搜尋結果盡是當紅日劇《月薪嬌妻》（逃げるは恥だが役に立つ）中的女主角新垣結衣。然而，森永結衣與網頁照片中那位大臉、平胸但配什麼髮型都好看的新垣結衣，長得並不像。

臺生同學則給她取了個「小佐佐木希」的綽號。因為她不但與佐佐木希有張明星臉，而且一百六十五公分的身高略低於佐佐木希一百六十八公分的官方身高，活脫就是小一號的佐佐木希。此外，她也是秋田縣出身，星座與血型也與佐佐木希一樣是水瓶座、AB型。種種的巧合，讓她「小佐佐木希」的綽號當之無愧。

喔？為什麼我會對森永結衣這名日籍交換生的基本資料，知之甚詳呢？

別誤會我是因別有所圖而對她人肉搜尋過，我沒有。因為她的外型儘管出色，但個頭跟我一樣。就我而言，她太高了。

矮我一截的女生，就像系上二年級的班代表，被我私下喊作「吉娃娃」的吉靜如同學，才是我的天菜。

我是因為被系上的專任教師扔了個燙手山芋，不，「託付」了系上交換生的指導老師工作，才有權限調閱交換生的基本資料的。

而且，森永結衣還選修了這學期我所任教的課程。

在第一堂課裡，被我點到名時，一襲盛裝的森永結衣當即從座位上起立，就像日劇中演的那樣，先向我鞠了個躬。

「柯老師您好。這學期初次造訪臺灣。我是森永結衣，請多多指教。」

音色稚嫩的她，用帶一點點日本口音的國語說。

生平第一次有人向我鞠躬，有種不真實感，使得我回了她句蠢話：

「啊，妳也多多指教。」

課餘時，我們也在迎新晚會中一道聚餐過。所以於公於私，她對我來說都不是個陌生人。

忽然，床上的她打起鼾來。

似乎睡得更熟啦，天佑我也。

即使她不算是我的天菜，但憑她這副毫無戒備的洋娃娃睡相，也絕對是道可口的上等佳餚。

任誰都不免垂涎欲滴。我再伸長脖子，一點一點地湊近她的臉。

本想來個嘴對嘴的，不意被她唇間呼出的淡淡酒氣掃了興致。

所以，此刻她是醉得不省人事囉？既然如此……

我伸出右手，接續剛剛縮到床底下前未完的動作，從下往上緩緩掀開棉被。一公分、兩公分、三公分……

掀到十來公分的時候，棉被裡的暗光下，出現了白嫩的肌膚。

定睛一看，是她的腳底。

再往上掀，才從腳趾的排列順序辨認出是左腳。大概是常穿窄頭鞋的關係，大姆趾與其餘四根腳趾都向中間聚攏，而形成御飯糰式的尖三角狀。

隨後，顯露在棉被下的是她的右腳，以及左腿、右腿……

在課堂上，她那雙比尋常的日本女性纖細而修長的腿讓男同學們哈得要死，女同學們則是羨慕得要死。對此，她的答覆是：

「我很少跪坐呢，倒是常運動與抬腿。」

運動與抬腿。我咧，是既沒時間運動，又懶得抬腿，所以下半身腫得像什麼似地。

於是，當目睹到棉被下她那蜷曲而交疊的雙腿時，我終於因滿溢的口水而嗆咳不止。

咳咳咳咳咳、咳咳咳咳咳……

套句日本人慣用的語法：一次，哪怕只有一次也好，請讓我大快朵頤，盡情品嚐這雙腿吧！

咳咳咳咳咳、咳咳咳咳咳……

就在我微吐舌尖，朝她的雙腿下腰之際，我的餘光在棉被裡瞥見了某樣東西。

那是位於她兩條腿中間的下體處，身為一個女性的至高「秘境」。

我的媽呀！

她怎麼連條內褲都沒有穿啊？羞羞臉……

明明走光的是她，但我替她蓋回棉被的速度之快，彷彿走光的是我自己一樣。

她沒穿內褲、她沒穿內褲。難不成，會連上半身也……

看著她的睡臉，我心中OS：

「森永結衣同學。難不成，妳會連上半身的治裝費也省了嗎？」

一邊OS，一邊斗膽從上而下掀開棉被……

果然被我言中。視線越過鎖骨沒多久，就和她那一對淺色的小乳暈打了個照面。

慌到我還來不及留意她的罩杯尺寸，就又替她蓋回棉被。

今天是……

我檢查手機：十一月二十四日，上午十一點二十八分。室外氣溫十五度，濕度四十四點四。降雨率，百分之四十。

就在這樣的日子裡，這學期才來註冊的，從日本遠道而來的女交換生森永結衣，綽號「小佐佐木希」的她，正一絲不掛地躺在我套房的床上，被覆蓋在我的舊棉被之下。

有事嗎？這是什麼情形呀？

滿腔的恐懼，取代了我鬼迷心竅的色慾。因為，這是一個對我極為不利的情形。

我是交換生實質上的指導老師，而她是交換生。

化約之後，我是老師，而她是學生無誤；我們的師生關係是確立的。既然是師生，就不能自外於相關教育法規的約束。

我在搜尋引擎網頁上忙了一陣，才抓到所謂《校園性侵害或性騷擾事件防治準則》的全文。該準則第三章「校內外教學及人際互動注意事項」的第七條規定：

> 教師於執行教學、指導、訓練、評鑑、管理、輔導或提供學生工作機會時，在與性或性別有關之人際互動上，不得發展有違專業倫理之關係。
>
> 教師發現其與學生之關係有違反前項專業倫理之虞，應主動迴避或陳報學校處理。

像我現在這樣，蹲在光溜溜的她身旁，算不算是「在與性或性別有關之人際互動上，發展有違專業倫理之關係」呢？

如果我說「不算」，這世上大概連我的父母在內，都沒有人會採信吧？

柯老師，你蹲在她身旁幹什麼？
幹什麼？我……我是……
為什麼她沒穿衣服？你是要對她毛手毛腳嗎？
不是，我不是要對她毛手毛腳……
那你在幹什麼？說！
這……就是因為她沒穿衣服，天冷我怕她感冒，所以在幫她添蓋棉被……
添蓋棉被？

爛死了。這種鬼話，再恐龍的法官都聽不下去吧。

教師發現其與學生之關係有違反前項專業倫理之虞，應主動迴避或陳報學校處理。

我要怎麼主動迴避呢？一覺醒來，她就躺在我床上啦！

……或陳報學校處理。

別鬧了。要是陳報學校處理，我不就玩完了嗎？還有什麼戲唱呢？

尤其，這段時日是我應徵專任教職的關鍵期。如果跟女交換生有染的謠言一起，別說是本校啦，全臺灣所有的大專院校，都會將我列為拒絕往來戶的。

那我就死定了。難怪，難怪遲遲沒有什麼詐騙集團衝進房來。用不著詐騙集團。只要她一醒來，尖叫引人來敲門也好、披或不披棉被跑出屋外求救也好、或著打電話報警也好……

任何一個選項，都能把我打入十八層地獄，永世不得超生。

5

我翻遍了房內各處，都找不到森永結衣的衣物。

連半件內衣和內褲也沒有。房門外的客廳、廚房與洗手間裡亦一無所獲；屋門口的鞋墊上有四雙東倒西歪的鞋子，全是我一個人的。

她的包包、手機、皮夾、化妝品之類的貼身物品也俱不在我的視線範圍內。真可說是要什麼，沒什麼。

不禁讓人懷疑，她是不是從哪個天體營裡直奔到我的套房裡來的？

不，先不要管她的衣物了。當下，有比她的鬼衣物要緊百倍、千倍的事。

那就是我絕對、絕對、絕對不能曝光，給她醒來後把我打入十八層地獄、永世不得超生的機會。

我該怎麼做呢？

宰了她嗎？別鬧了。
戳瞎她的大眼睛，讓她看不到我？別鬧了。
把她移到屋外？如何移？移的過程中她醒來怎麼辦？被別人目擊到怎麼辦？
……還是，我自己開溜，逃之夭夭？
更爛。我還要去學校上課呢，能逃到哪兒去？逃多久？
而且，警察三兩下就能查出她醒來的地方是我的套房，而把嫌疑指向我。逃了，也是白忙一場。
我該怎麼做呢？
冷靜、冷靜……分析、分析……
雖然我是個最缺乏分析能力的人了。
我不能殺她，不能戳瞎她的眼睛。把她移到屋外，難度也非常高。現階段，得讓她繼續待在我的床上。
可是，即使她現在處於昏睡狀態，也不可能這樣永無止境下去。也許再過半個鐘頭，或是下一分鐘，她就醒來了。
她一醒來，就會看到狼狽的我。
不能讓她看到我。但是，又不能戳瞎她……
所以，必須遮住她的大眼睛，讓她的視力無從發揮。
用什麼來遮住她的眼睛呢？眼罩？我又不是蒙面俠蘇洛，哪拿得出那種東西啊？
眼罩沒有，替代物倒是不缺。

我從衣櫃的旅行箱裡翻出幾百年前SARS流行時搶購來的高價N95口罩，舉在我的眼前。透視不過去，恰好能派上用場。

我將口罩當眼罩一樣放在她的雙眼上，並將口罩左右兩端的耳繩套住她的雙耳。這樣，口罩就固定住了。

哈哈。這樣，妳就看不到我啦。

不對，如果她醒來後，用手扯掉口罩呢？

我走進廚房，取出房東收在廚櫃裡的好幾綑細繩後，回到我的套房裡。

她的睡姿沒變。我從上而下，一鼓作氣將棉被掀至她的腰際。

和她那一對淺色的小乳暈又打了第二次照面。由於地心引力的緣故，仰躺的她乳房朝左右兩邊外擴，如此也猜不出她的罩杯尺寸……

搞什麼？現在可不是猜她罩杯尺寸的時候。

我一個深呼吸，伸出雙手抓住她的兩隻手腕，一寸、一寸、一寸地提向床頭。

動作慢到可以，就怕她因此醒了過來。

待她瘦削的雙臂呈現向上的V字形後，我抽出兩綑細繩，將她的雙手纏縛在床頭。

在兩綑細繩上都打了重重的死結。既然上半身綁了，乾脆一不坐二不休，連下半身也綁了吧。

我把棉被整個推到床邊，將她蜷曲而交疊的雙腿一寸、一寸、一寸地向下拉成倒V字形，再如法炮製，把她的雙腳纏縛在床尾。

媽的，她在這種寒天裡呼呼大睡，卻忙得我熱汗直流。

死結打完，再蓋回棉被，大功告成。這樣，就天衣無縫了。

她的眼睛被口罩遮住，所以醒來後，她看不到我。而她的四肢均動彈不得，所以她既扯不掉口罩，也無法跑出屋外求救。

可以放心了……咦？好像還有哪裡怪怪的？

一項一項檢查：第一，她看得到我嗎？看不到我；第二，她能跑出屋外求救嗎？跑不了。

那麼，是哪裡怪怪的呢？啊！如果她打電話報警……

白癡啊！她雙手雙腳都被我綁住了，要怎麼打電話啊？這條路也被我堵死了。那麼，還有哪裡怪怪的呢？

還有哪裡呢？喔！我想起來了，還有一個！

她要是給我在床上死命地尖叫，引人來敲門，一樣會讓我吃不完兜著走！

好險、好險，差點就忘了，這位看似窮途末路的小姑娘，還有這記王牌。我進廁所拿了我擦頭髮的毛巾出來，揪成一團後，塞進她的嘴裡。

可是，她的嘴巴太小，硬塞也塞不了，而我沒有別條更迷你的毛巾了……

該怎麼做咧？

靈機一動，我把毛巾折成條狀，橫向塞進她的嘴後，再綁在她腦後。嘿嘿，這樣就ＯＫ啦。

而且她只輕皺了皺眉，便又復酣眠。

還真能睡呀妳，森永結衣。昨晚，妳到底是灌下了多少瓶酒啊？

6

我身裹著厚大衣，冒著寒冬下樓，途經公寓門口的施工區域後，前往十分鐘腳程外的一間學生經常光顧的大賣場。

還沒到中午，所以賣場內的客人稀稀落落，正合我意。

我三步併作兩步走過家電部門，來到賣場尾端的超市區。

室外已經夠冷了，超市的空調還給我開得特低。媽呀，是要讓人結冰才甘心是不是？

我哆嗦著，在心臟被凍僵前極速選購了大量的快煮麵與水餃等食品，然後再推著半滿的手推車，轉往我從不曾逗留過的尿布區去。

一落一落裝載紙尿布包的瓦楞紙箱，看上去就像供巨人把玩的積木一樣，堆排得整整齊齊。不過，我的標的物並不是嬰幼兒的尿布，而是在此區搭售的成人紙尿布。

由於手頭並不寬裕，我挑了一個最便宜的品牌後，便狂掃三大包L尺寸的成人紙尿布而去。

XL太大了，用不到，L就夠啦。

結帳時，一張撲克臉的女店員不疑有他，照常掃瞄著紙尿布包上的條碼，讓深怕被譏笑「才三十幾歲的人就用這個」的我，稍鬆了口氣。

為免節外生枝，我提著大包小包趕回住處。屋門口的鞋墊上，還是只有我的鞋子在。

在這戶三房的公寓中我佔了一房、無人租住而空了一房。餘下最大的一間套房，房東因工作的緣故，一個禮拜會來留宿個兩夜。

我將食品放進廚房冰箱的冷凍庫後，抱著三人包的成人紙尿布，打開我房門的鎖。被口罩蒙眼、毛巾塞嘴的森永結衣蓋著棉被，依舊被綁在床上。我閃身入房，鎖上房門。

還在睡啊？或是已經醒了，卻在給我裝睡呢？

管她的。反正她這副處境，既看不到東西、發不出聲來，又沒有行動的能力。真睡？假睡？沒差。

我拿出抽屜裡的剪刀將紙尿布包拆封，從內抽出一件單品來。

展開後，平整的白色紙尿布就活像個中文的「工」字一樣。當然，這像「工」字的玩意兒不是給我用的，而是給這位遠從日本來的交換生森永結衣同學用的。

我又把棉被整個推到床邊，然後將平整的紙尿布墊在她的屁股下方，挾住紙尿布的下緣繞過她的胯下而上，再對齊上、下緣在她腰際的的黏膠處，予以貼附。

這是為了解決她失去自由時大、小便的生理需求。否則，我的床上要都是她的排洩物，還像話嗎？看，用心良苦的我思慮多周密，才不像安部公房筆下「無關的死」中的那個A呢！

而且，像我這種不惜為學生破費、還親身為學生穿戴好紙尿布的好老師，要上哪兒去找啊！呵呵……呵呵……

至於她飲食的生理需求，我也都打點好了。不然，我去買那麼多快煮麵與水餃，是為了誰呀？都是為了妳呀，我親愛的森永結衣同學。

就連我現在這顆撲通撲通狂跳的心，以及賁張到頂點的血脈，也全是為了妳呀！

為了這副從頭到腳不設防的模樣，而任人宰割的妳……

下定決心後，我動手將自己身上的衣服在她面前一件一件地脫掉。

就像進行什麼敬神的儀式一般，全裸的我屈膝跪在床邊，低首向天禱告，求神祇賜福。張口唸了一串不知所云的咒語後，我輕啟嘴唇，傾身由她形如英文字母I的肚臍向上，一路親吻到她的乳房四周。

純粹是念在她目不能視、口不能言、手足不能行。就算被我給吻醒了，她也無可奈何。誰教她的肌膚該緊實的部分緊實、該吹彈可破的部分吹彈可破，並且口感香嫩，令人回味無窮呢……

還回味無窮呢！要不要臉呀？為人師表竟如此厚顏無恥、大言不慚？

重點是，只要我自制得宜，沒留下唾液、精液等微物證據，就能從猥褻她的卑行中全身而退。全身而退！多麼美妙的名詞！

第二階段，從她溫軟的乳房四周向中央進攻。

愈吻向中央，海拔愈高，我的腦袋愈往上抬。就像沙漏一樣，腦袋裡的血液也愈流愈少。血液一少，就很難理智地思考。吻著吻著，我一個把持不住，張嘴就含住了她的乳頭。剎時，彷彿全身的血液都集中往我的下部爆衝，而把我整個人炸開……

不能留下唾液！切記，不能留下唾液！

天人交戰下，淫慾逾越了理智。我索性豁了出去，伸舌在她的乳頭上狂舔。

小家子氣什麼？事後，再把留在她身體上的唾液擦掉不就得了？船過水無痕，我還是可以全身而退！說穿了，舔乳頭這種事就像愈喝愈渴的海水一樣，愈舔就愈想舔。而且，乳頭不是只有一個，還有兩個呢。

我左左右右、左左右右輪流享受得不亦樂乎、欲罷不能，直到昏昏欲仙……

突然，我的手機響起Line的訊息鈴聲。

一次、兩次、三次。不理他！

四次、五次．他媽的，是哪個王八蛋不識相，在這種節骨眼上壞我好事？我拿起手機一看……

　柯老師在學校嗎？

是「吉娃娃」，我的「吉娃娃」！

真對不起、真對不起，我不曉得是妳，還罵妳是王八蛋，我該死。

我在學校嗎？我正在我租的套房裡舔日籍交換生森永結衣的乳頭，當然不在學校。

沒有YA，有事嗎？

想問柯老師……

什麼事？

可能，當面問會比較慎重一點。柯老師下午會來學校嗎？

我今天沒課，李勇良老師也沒要我去他的研究室，所以……

那麼，柯老師下午可以來學校一趟嗎？

為什麼？有什麼事嗎？

就是，當面問柯老師會比較慎重一點。

現在的大學生一個比一個大牌。有事要找老師不移樽就教，還要老師過去屈就他們……不過，因為她是吉娃娃、因為她是吉娃娃！所以我一點兒都不計較。

不能在Line上問嗎？

嗯……當面問會比較慎重一點。

「當面問會比較慎重一點」。她已經重覆這句話三遍了。看樣子，我不去都不成了。

好吧。約哪見？

7

我將衣服一件一件地穿回自己身上，再替森永結衣蓋回棉被。

鎖上房門與屋門後，今天第二度冒著寒冬外出。灰暗的天空飄起細雨來，而門口傘桶裡僅存的一把橘傘卻又大又長。

笨重得跟啞鈴沒什麼兩樣。走沒幾步路，就得換另一隻手撐傘。所幸我的住處距學校很近，只有五到十分鐘的腳程。

進入學校側門時，正好迎面趕上中午十二點下課後要去用餐的學生。與人多勢眾的他們方向相反的我，幾乎寸步難行。

沒有一個人讓我，我只能耐心等他們通過。
就在川流不息的學生潮中，湧出了一聲高亢的女音：
「柯老師！」
已經對到了眼啦，我只好向出聲的那位穿豬肝紅蓬蓬裝的輕熟女回禮：
「嗨，王、王琦蓁老師……」
「好巧喔。柯老師今天也有課嗎？」
「嗯……啊……」
和我一樣，那位王琦蓁也是系上的兼任教師。但人家可生得婀娜多姿，每每令我自慚形穢。
而她的社交商數之高、對專任教師逢迎拍馬之精，更教我望塵莫及。
「那，我還有課呢，下回見囉。」
「下回見……」
她假笑了一下，便甩著大波浪捲的頭髮而去。
勢利眼的女人。倘若我也是系上的專任教師，她才不會那麼快放我走呢。

當我如約來到系辦公室旁的小型研討室時，已經遲到十分鐘以上了。
「吉靜如同學，sorry、sorry……」
我說。側坐在座位上的吉娃娃停下玩手機的手，昂起戴了頂藍色牛仔布棒球帽的頭，一臉歉意：
「不不不，柯老師……該說sorry的是我。」
「哦？為什麼？」

「因為，有事要問的……是我，所以……應該是由我去找柯老師，而不是……要柯老師來找我。」

「妳這麼說，也對啦……」

「我一時……心急，沒想那麼多，sorry。」

講話溫吞而黏膩的她亡羊補牢，反而讓我拘謹起來，只能揀個座位坐下，一徑傻笑：

「嘿嘿，不要緊地，嘿嘿……」

她脫下棒球帽，用手撥弄她瀏海參差、髮尾及頸的「鮑伯頭」。年輕就是本錢。在這麼冷的天氣裡，我把自己裹得像顆粽子一樣，她卻只需要在深藍色的上衣外披件灰色罩杉即可。

「柯老師吃中飯了嗎？」

「我還沒。」

「我也還沒。那我很快問完，我們就可以不用再挨餓了。」她挑了挑她的淡眉，鼓動圓滾滾的顴骨，沒頭沒腦地說：「那個……嗯……柯老師知道她現在在哪裡嗎？」

「誰？」

「……是一位日本同學。」

「日本同學？」

「叫做森永……結衣……」

從吉娃娃的櫻桃小嘴中，流洩出這個讓我冷汗直冒的姓名。

森永結衣！

吉娃娃，有那麼多天南地北的話題可問，妳幹麼哪壺不開提哪壺，偏偏要問到她呀？

「喔，森永結衣啊……」
我扶緊桌面，免得從座位上摔下來。
「她是那個……那個從日本上智大學來的交換生，柯老師對她有印象嗎？」
「啊，說有印象也……說沒印象也……」
我在說什麼啊？
「雖然，名義上李勇良老師是我們系上交換生的指導老師，但實質上的工作都是……柯老師在一肩扛。所以，熟記每位交換生的姓名與臉孔這種事，我在想，應該難不倒柯老師才對。」
「嗯……嗯……」
「那麼，柯老師對森永結衣同學……有印象嗎？」
「這個……」
「綽號『小佐佐木希』。這樣講，柯老師就……有印象了吧？」
小佐佐木希。都提示得這麼明了，我要是再來個一問三不知，就太不自然啦。
「呃，有……有……」
彷彿還信不過我似地，吉娃娃又慢條斯理地秀出她手機裡森永結衣青澀的學籍檔案照給我：
「柯老師看，就是她。」
「是、是，我有印象……」我兵敗如山倒：「而且妳之外，選修我『行銷個案研討』課的學生中也有她。」
「是嗎？那麼……柯老師知道她昨天參加完我們管理學院的交換生迎新晚會後，現在人在哪裡嗎？」

「怎麼了？幹麼這麼問？」

氣若游絲的我將「她失蹤了嗎」這五個字，硬生生擋在喉間。

吉娃娃將她一對瞳鈴般的雙眼瞪得老大，直視我道：

「今天早上，森永結衣同學……她沒有來上『溝通與商業談判』，以及『客戶關係管理』這兩門課。」

「缺課嗎？」

「……是的。」

我強作鎮靜：

「缺課對大學生來說，不是再稀鬆平常不過了嗎？」

「可是，這兩門課……加起來有四個小時耶。」

「這有什麼？不要說四個小時了，整個學期都沒有在課堂上露過臉的大學生，也比比皆是。」

「是沒錯……但一般而言，從國外來的交換生，學習動機好像都普遍比我們臺生要強，更別說是……一絲不苟的日本人了……」

「誰說的？我就認識不少是想來臺灣旅遊而非學習的交換生。」這倒是實話：「再說，日本人的壓力那麼大，偶爾也得放鬆一下。說不準，待會兒她就在哪個景點打起卡來了……」

吉娃娃聽了猛搖頭：

「但是……她從昨晚起，就不在任何社群網站的線上。」

「是嗎？」

「而且……我打了一上午的電話，她都在關機中。」

「那麼……」

吉娃娃癟起嘴，代我說出這個關鍵詞：

「我懷疑她……是不是『失蹤』了？」

媽的！我將桌面扶得更緊。

「失蹤？吉靜如同學，妳會不會是太敏感了？」

「我……太敏感了嗎？」

「她這種情況，通常最可能的解釋，就是……」

「啊……就是什麼呢？」

「就是……就是……」

「……什麼呢？」

有啦！我急中生智：

「就是她正在快活中，不方便與外界聯繫啦。」

「快活？」

「就是……那個，妳知道的……」

吉娃娃聞言，不懷好意地笑了笑。

「柯老師的意思是，森永結衣同學缺課……是因為她與人開房間，而在床上爽歪歪嗎？」

爽歪歪。即使吉娃娃是品學兼優的班代表，那方面的用語，竟也跟時下的大學生一樣葷素不忌。

只不過……

缺課的森永結衣是在床上沒錯，但爽歪歪的人可不是她，而是我。

我應著吉娃娃的話為她洗腦：
「如果被我說中，妳這麼大張旗鼓地，不就侵犯到人家的隱私了嗎？」
「這……」
「每個人都有不欲為人知的秘密。妳有，我有，森永結衣同學也有，不是嗎？」
「但是……」
即使是拖延戰術，我也愈說愈振振有詞：
「況且，她才失聯了四個小時而已。這樣就說她失蹤，有點言之過早。」
「……是喔？」
「才四個小時而已耶！」
加重語氣果然奏效。吉娃娃初步屈服了：
「說得也是。所以……是我大驚小怪了嗎？」
「妳是在盡班代的責任，大驚小怪也是情有可原。」
「……情有可原啊。」
吉娃娃不知所措地覆誦著。我先打發她道：
「好了，妳快點去吃飯吧！下午，再靜觀其變。」
「好的，謝謝老師。」她靦腆地戴回棒球帽後起身，併攏窄版牛仔褲裡的雙腿，撫摸自己的腹部：
「哇，在咕嚕咕嚕地叫呢……」
媽呀，好可愛啊！
我就是喜歡這樣的吉娃娃。

8

拎著外帶的排骨便當走在回去的路上時，我一面撐著那把跟啞鈴一樣重的橘傘，一面氣喘吁吁地思索吉娃娃在小型研討室裡透露出的蛛絲馬跡。

柯老師知道她昨天參加完我們管理學院的交換生迎新晚會後，現在人在哪裡嗎？

我查閱萬用手冊裡的行事曆。昨天，十一月二十三日，晚上七點鐘，確有這樣一筆記錄：

行程：管理學院交換生迎新晚會。
地點：海島度假飯店六樓模里西斯廳
備註：代李勇良學長出席。不可不去！

管理學院的交換生迎新晚會……

交換生迎新晚會……

不可不去！所以，我應該是有出席了？

今早八點鐘醒來時的頭痛欲裂，以及八點到十點鐘睡的回籠覺，在在都是我宿醉的副作用。

記憶也一團凌亂。在那場迎新晚會中，我大概喝了不少吧？

不，酒量很差的我，即使小酌過頭就會不支。要不了幾杯，就能把我搞成這副德性。

搞成這副健忘鬼上身的德性。喂！好歹振作一下吧！

我殫精竭慮，努力撕開牢牢貼在大腦海馬體上的封印。我叫做……柯宇舫。對，柯宇舫。

廢話！要是連自己的名字都記不得了，那還像樣嗎？

今年三十六，不，三十七歲。O型，巨蟹座。身高一六五公分，體重則久久未量了。

最高學歷：菲律賓拉帝薩大學行銷管理學博士。不消說，這是所野雞大學中的野雞大學……

他媽的，野雞大學又怎樣？

從野雞大學畢業的博士就不是博士了嗎？不，和從美國長春藤盟校、英國劍橋與牛津畢業的博士，一樣都是博士。

一樣都是博士，怎麼樣？

瞧不起我嗎？視我為異類嗎？咱們系上的李勇良老師，不也是菲律賓拉帝薩大學的行銷管理學博士嗎？不同點在於，他是年資十年的「專」任教師，而我是年資七年的「兼」任教師。

一字之差，失之千里。

為了一舉橫越這千里，我忍辱負重地犧牲奉獻，做牛、做馬甚至做狗都在所不惜……

連兩年無償擔下這系上交換生的指導工作，就是其中之一。

如果不是這樣，什麼交換生的迎新晚會干我這名兼任教師個屁事啊？昨天也不用上完最後一節課後，還風塵僕僕地趕場到那間鬼飯店去。

對，昨天下午四點到六點，在這系上專任教師避之唯恐不及的爛時段中，我被硬塞，不，被排了一門課。

還是門開在大四的課，科目名稱為「策略管理」。

什麼是策略管理？老實說、老實說、老實說，我這個任課老師也答不出來……

答不出來要怎麼上課？啊就亂上啊！

亂上！亂上！亂上！

不行嗎？反正臺下的學生不是在滑手機，就是在打瞌睡、吃東西或扯蛋聊天……

尤其是大四學生，又皮又油不說，我行我素、目無尊長更是到了一個極致。課堂裡最讓我頭疼的，就屬余紹恩這個小屁孩了。

這小屁孩是全系有名的混仙，從大一醉生夢死到大四，被當掉的學分比及格的學分還多，是徘徊在畢業門檻邊緣的問題學生。昨天他因為遲到了一個小時，被迫坐在大多數學生不願坐的教室第一排的中間座位。

但是在剩下的一小時裡，他絲毫沒有善用自己與講臺的近距離認真聽過課，而是不斷在跟他左右兩邊的同學高談闊論。音量之大，竟超過我用麥克風的講課聲。

「余紹恩同學！余紹恩同學！」

「幹麼？」

「上課請謹守秩序，不要講話喔！」

像這樣的道德勸說，只夠讓他坐正兩秒。

兩秒鐘之後，他又轉過他兩側剃平而瀏海厚厚的二分區頭，與坐在他後面越級修課的大二僑生湯浩宣交頭接耳起來。

「余紹恩同學！余紹恩同學！」

這次余紹恩乾脆遁入忘我之境，來個充耳不聞，連坐正兩秒鐘也省了。

既然抓不了大尾的，就改抓小尾的。

「湯浩宣同學！上課請守秩序，不要講話喔！」

想不到，蓄三七分頭而戴副細框眼鏡、看來斯斯文文的湯浩宣不但不收斂，還臭著臉白了我一眼，一副不受教的樣子。

只能說他近朱者赤、近墨者黑，被爛學長帶壞的速度，就如同遭病毒感染一樣快。媽的，我講我的課，不管他們了。要吵就吵吧！

吵吧！吵翻天吧！

我就這麼自暴自棄地捱到下課，並搶在鳥獸散的學生之前逃離教室。出了學校後快步疾行，前往我停在臨近住處巷弄內的那臺舊車。

那臺被我開了七年、哩程數已破四十萬公里的白色國產舊車……

對。昨晚，我是開車去海島渡假飯店的。為什麼我要開車，而不騎摩托車或搭乘大眾運輸系統呢？不騎摩托車，是因為七年前出了一場大車禍。從此以後，我就對這種玩命的交通工具敬而遠之，再也不敢碰了。

而策略管理課六點結束。坐公車的話，司機會東繞西繞地，我怕趕不上七點開始的迎新晚會；至於捷運，海島渡假飯店的周邊，並沒有什麼捷運線經過。

招計程車咧？很抱歉，我只是名窮酸的大學兼任教師，作風沒那麼凱……

算來算去，開車既安全又富時效。但是，我多不容易才佔到個好車位說。一旦要開走，我也是千百個不情願，滿心依依不捨啊。

柯老師，姚院長生平最痛恨遲到這種行為了。

參加任何管理學院的活動，你都要繃緊神經，守時、守時、再守時呀！聽見了沒有？

這是系上的專任教師，我菲律賓拉帝薩大學行銷管理學博士的學長李勇良囑咐過的。

他那南部腔的臺灣國語言猶在耳。為了不給姚院長留有壞印象，我昨天只好忍痛與車位淚別，把車開去海島渡假飯店……

那臺被我開了七年、哩程數已破四十萬公里的白色國產舊車……

說曹操，曹操到。昨天的事想著想著，我就在一家已關上鐵門的早餐店外、私劃設了紅線的地上，看見了停在兩輛ＢＭＷ休旅車中間的它。

會不會只是同型的車？

我看看……兩邊後視鏡的顏色與車體不同，右後車門上有一塊撞凹處，車牌號碼……也正確。

這家早餐店離我的住處有七、八條巷子那麼遠。原來我昨晚從海島渡假飯店回來後，把車停到這裡了。

車頭、車尾距前車與後車均不到十五公分，貼得很近。以我的等級，應該還請不到人代駕吧？也就是說，酒駕的我，停車技術還不賴嘛！

呵呵呵……

不，別沾沾自喜了。也有可能前車與後車都是比我後停好的。停車技術不賴的是人家，而不是我……

咦？擋風玻璃上的雨刷裡，夾了張紙？

哇哩咧……

是違規停車被開單了嗎？不要呀！政府搶錢呀！為了森永結衣，我才去賣場大失血過，這個月已經快活不下去了啊！

快活不下去了啊……

好佳在，是一張手寫的便條紙，不是罰單。

雖然荷包無傷，不過便條紙的內容，也不會讓看的人好過到哪裡去。

亂停車輛，妨礙生意。再有下次，拖吊處理！

好兇啊……

定是早餐店的人寫的。兇什麼兇嘛！人家昨晚喝了那麼多酒，也是萬般無奈才停在你這裡。要是有更好的車位，我也不想擋住你的店門口啊！

兇什麼兇？我移走就是了嘛！

見四下無人，我才把便條紙揉成一團，扔向鐵門。「小魚」早餐店是吧？媽的，我記住這家了！

解鎖後我打開車門，人坐進車內，將錢包、手機與外帶的排骨便當放在副駕駛座上，發動引擎。

因為怕店內的人聽到聲響後出來興師問罪，我沒等引擎暖機就前前後後調整車向，倉皇駛離現場。

接下來是另一場噩夢：找車位。

現在是中午時分，上班的上班、用餐的用餐，誰會來開車啊？巷內兩邊的免費車位裡不是滿滿橫排的摩托車，就是一輛挨著一輛停的汽車。我握緊方向盤，循固有的路線兜圈子碰運氣，而運氣終究不在我這邊。

好餓啊……

浪費了半小時汽油後，我投降了，把車開到大馬路上還剩很多空位的收費車格裡，熄了火。

死要錢的政府。要，就給你吧！一看車位旁的告示牌，停車費一小時……五十元？幹……麼這麼貴啊？

我下車、關上車門、鎖車。走出好幾百步路後才猛覺我是空著手，錢包、手機與排骨便當都沒帶，又再悻悻然地折回車上。

最近，我的老年痴呆症好像發作得愈來愈頻繁啦。

9

一推開住處的屋門，我就迫不及待地先進廚房，拆掉套在排骨便當上的兩條橡皮筋與免洗筷袋的封口，狼吞虎嚥起來。

雖然涼了，但今天的排骨炸得很酥脆，好吃、好吃。

不到十分鐘，便當盒內就空無一物了。吃飽，還得喝足。我打開冰箱，將裡頭還有半杯的七分甜紅茶拿鐵一飲而盡。

嗯，怎一個「爽」字了得。

出了廚房，走向我的房門口，四下顧盼，解開房門的鎖，半開門後溜進房，再上鎖。

只不過是回房，卻搞得風聲鶴唳。這還不都是因為妳，森永結衣同學！

躺在我的床上，被口罩蒙眼、毛巾塞嘴、細繩捆綁手腳、棉被覆身的日籍交換生，「小佐佐木希」森永結衣……

飽暖思淫慾的我，自然就再將腦筋動到她身上了。上午已經初嚐過她上半身的第一圍，令人回味無窮……

時至下午，該享用享用她的下半身啦。

我將棉被由下而上掀開。包在她胯間的成人紙尿布上的線條式顯示記號沒有變色，意味熟睡的她尚未排尿。

Good。

我跪在床邊，彎下臉親吻她纖細而修長的雙腿。不愧是「小佐佐木希」，連下半身都能散發出誘人的體香。

我伸長舌尖，沿著她象牙色皮膚下曲張的藍色靜脈從左小腿肚舔到左大腿根，再從左大腿根舔到左小腿肚。來回兩、三次後，嘴有點乾了。

在口腔裡集滿口水後吞下，這樣做可以稍減嘴乾之苦。

旋即換舔右腿。可能是站姿的雙腿受力不均，她右腿曲張的靜脈，就沒有左腿那麼嚴重。

舔到一半時，她的右膝抽動了一下。

是錯覺吧？也可能是她被舔後的反射動作。色迷心竅的我沒怎麼在意，舌尖繼續在她的右腿上舔著。

好嫩、好嫩呀……

她的右膝又抽動了一下，接著左膝也抽動了一下。如果不是腳踝被細繩綁住，她雙膝抽動的幅度恐怕會更大。

因為，她的腳掌開始前後擺動，腳趾也一縮一放得很劇烈。

再看她的上半身。露在棉被外的雙手扭動著，想要掙脫綁在她手腕上的細繩。當然，這是不可能的事。

她的頭也左右搖動起來，喉間發出「咿咿呀呀」的聲音。

她醒了。

要不是她醒了，望著她那十根塗了銀色指甲油的纖纖玉指望到恍神的我，還真想一根接一根給她吸進嘴裡。

她醒了！現在可不是意淫的時候。

我縮到牆邊屏住氣。其間，她的體香混雜著排骨便當的菜味，從我緊閉嘴巴的口腔裡一絲一絲地傳入鼻腔。

「咿咿……呀呀……」

我躡手躡腳，爬到房內離床最遠的地上靜坐著。可是，她以日本人的執念，鍥而不捨地從喉間發聲。

「咿咿……呀呀……」

聲量不大，但有如魔音穿腦，直到我再也受不了為止。

俯身鬆開她嘴裡的毛巾後，她呆了呆，從沒什麼血色的嘴唇間吐出一句日語。

聽不懂的我，以不變應萬變。

她沒等到她要的反應，又改用國語說道：

「是誰？」

我靜默著，死不搭話。

「為什麼？」

她用快哭的腔調問。我很同情這樣的她，但心軟不得。

雙手雙腳扭了一陣後，她突如其來地尖叫出聲。早防她有這一招的我迅雷不及掩耳地上前，將毛巾塞回她嘴裡。

「咿咿……呀呀……」

千鈞一髮，嚇出我一身汗。

我暫且撇下她，坐回書桌前思考著：我這樣把她五花大綁，囚禁在我的套房裡，最後真能全身而退嗎？

真能全身而退嗎？

不，這樣只是治標不治本。還奢談什麼全身而退？除非，我能囚禁她一輩子。

一輩子……

可是，就算我這麼做，她從人間蒸發的事也紙包不住火。相關人等會報警，警方會介入協尋，並追查所有可能的線索。到時候，我難免會被捲入到這整個過程當中。

如果我放她走，對我來說更是後患無窮。

所以，我要如何才能全身而退呢？所謂的全身而退，應該是一切回復到昨天我去海島渡假飯店前的狀態才對。

問題是，我還回得去嗎？

歸根究柢，我得弄清楚她是怎麼衣不蔽體地出現在我床上的。是她自己送上門來，還是我帶她進入我的套房裡的？

我跟她有那麼熟嗎？

我這學期在系上教兩門選修課，一門是開在大二的「行銷個案研討」，另一門是開在大四的「策略管理」。被編在二年級那班的她，只有修前者。

她有缺過課嗎？

我用手機查學校的線上點名記錄：全勤。就像吉娃娃早上說的，森永結衣是一絲不苟的日本人，迄今從未缺過課。

這週是開學第十週。所以，我跟她見過十次面了……

如果再加上昨晚管理學院的迎新晚會，那就是十一次啦。歷經這十一次的見面，我跟她已經熟到她自己送上門來，或是我帶她進入我的套房裡了嗎？

左思右想，答案似乎都是否定的。

就像我早上確定過的，我認識她，她也認識我。對我來說，於公於私她都不是個陌生人。但是，彼此並沒有熟到發展出超友誼的程度。

因為，我本就是個乏善可陳、沒什麼魅力的老師……

昨晚她有出席迎新晚會嗎？我想想……嗯……有的，她有出席。

我記得她穿了一件黑色的長大衣與米色緊身褲，足登深褐色長靴。如此時尚的裝扮，讓她在眾多交換生中鶴立雞群。

不，即使身處茫茫人海中，面容姣好與身材窈窕的她也甚為亮眼。「小佐佐木希」的綽號，可不是浪得虛名。

已經去過臺灣哪些地方啦？

沒錯。當她入境隨俗，過來我們教師桌敬酒的時候，我還問了她這個問題。

她一聽，就低下頭去淺笑道：

「不好意思。柯老師，我還沒有離開過臺北呢。」

「啊？怎麼會這樣？」

「不好意思、不好意思……」

「既然來了，就多出去走走啊。」

「不好意思、不好意思……」

後來我就被鄰座的系上老師、從國立大學退休後又來私校專任的張奎龍教授纏上，沒機會跟森永結衣多交談了。

張奎龍教授似乎是帶著醉意在跟我抱怨他太太的不是。晚會結束後，又發生了些什麼事呢？我開車回家。

車上，只有我一個人嗎？好像是，也好像不是……

一個人？兩個人？一個人？兩個人？

正煩思間，不曉得從什麼時候起，床上的森永結衣已經放棄掙扎，安靜下來了。

10

我冒著寒冬，今天第三度外出。

目的地很近，就在拐過兩條巷子後，我停在大馬路上收費車格裡的那臺舊車。

是的，我又折回車上了。不過這一次不是去拿被我遺忘的錢包、手機與排骨便當什麼的，而是去釐清一件事。

我的車好端端地停在車格裡。

才幾分鐘的光景，擋風玻璃上的雨刷裡已經被夾了一張收費單，記上了一個小時五十元的費用。在這個國家裡，工作最勤奮賣力的人不是政府高官或生意人、不是專業技士或服務生，而是風雨無阻的停車收費員。

這點不知是幸，還是不幸？

我把臉貼向副駕駛座的車窗。車窗太髒，看不進車內。解車鎖後，我打開副駕駛座的車門見真章。

副駕駛座位空空如也。長期堆放在上面的地圖、好幾所大學的校園導覽、我從網路上列印下來的車禍事故處理須知、紙本的學校行事曆、發票、塑膠袋等雜物，全都被移到了後座。

這麼說……昨晚，這副駕駛座上是有坐人了？

因此，森永結衣是被我載回來的？要死了，我一點記憶都沒有……我是怎麼哄騙，不，說服她上車的呀？

又沒跟她有那麼熟說……

在迎新晚會裡，她的心情好像不錯，所以趁興被她下肚的黃湯是一杯又一杯，喝得醉醺醺地。我是用這個當作藉口，假意要送她回去，卻把她誘拐過來的嗎？

我成了名副其實的綁匪啦。而車上的前後座與後車箱裡，都翻遍不著她的衣物。

太詭異了。我的套房內也沒有，車上也沒有。究竟昨晚剝光她後，我把她全身的衣物給藏到哪裡去了呢？

昨晚剝了光她……

那麼，我已經跟她「做」過了？

要死了，我還是一點記憶都沒有。酒這種東西能成其好事，也能誤大事。然而……

如果昨晚載她回來的人是我，跟她做過的人也是我，她今天醒來時，幹麼還要問「是誰」呢？

不不不，我這個白癡。

倘若她昨晚是醉到茫而被我給「撿屍」回來的，怎麼可能會知道撿她屍的人是誰呢？當然要問囉！

天呀，我這個卑微到不行的大學兼任教師，在學術圈的最底層裡浮沉求存的「魯蛇」，今早一覺醒來竟風雲變色，淪落為誘拐、性侵、囚禁女學生的罪犯了！

……

誘拐、性侵、囚禁……

我這種人，怎麼會跟這些驚悚的字眼沾上邊呢？因為一時糊塗，一步錯而步步錯？

還妄想全身而退呢。死了死了死了死了……

我在車內坐立難安，急得像熱鍋上的螞蟻。不久，整個人就當了機，像靈魂出竅般，腦中一片空白。一片空白……

空白的時間可能只有幾秒，也可能長達一個世紀。

總之，伴隨著手機的來電鈴響，我在駕駛座上回過神來。

誘拐、性侵、囚禁……

來電者是吉娃娃。咦？她不是被我誘拐、性侵、囚禁起來了嗎？怎麼還有辦法騰出手來打電話呢？我在想什麼啊？已經錯亂了！受害者又不是她，是森永結衣啊！是從日本來的交換生「小佐佐木希」森永結衣啊！

哇，我一個不當心，釀成國際犯罪事件了……

從此我就臭名滿天下啦。在ＮＨＫ的頭條新聞上，將會打出這樣的字幕：

　容疑者，柯宇舫，三十七歲……

丟死人了！我萬念俱灰地接起來電：

「喂？」

「柯老師，事……事態大條了。」在焦慮下，電話彼端的吉娃娃講話更加溫吞而黏膩：「森永……結衣同學……下午……也沒來上課。」

「真的假的？」

「十二點到兩點的……『消費者行為』以及兩點到四點的……『供應鏈管理』兩門課裡，她……都沒有來耶。」

十二點到兩點……兩點到四點……

時光飛逝，我已經在車上待到四點多了？媽呀！

床上的森永結衣應該餓扁了吧？

「如果……她是在開房……開房間，會不會……也太久了？而且，我……問了她的室友，她室友說……她室友說，她昨晚就沒回宿舍睡覺耶……」

「真的假的？」

「加起來，她已經……失蹤十幾個小時了，我再怎麼……打電話、私訊她，也都……石沉大海……」

「真的假的？」

「柯老師，是不是該……打一一零了？」

「真的假的？」

除了這四個字，我好像已無話可說了。

「……柯老師？要報警嗎？」

「真的假的？」

「……柯老師？報警？」

報警？

這兩個字猶如晴天霹靂。萬萬不可！

報警？把事情鬧大？那還得了？我清清嗓子，換了隻耳朵聽電話，說道：

「No！」

「……No？」

「No！」我的音階陡高八度：「不能報警！」

「不能……報警？可是森永……結衣同學……」

「報了警，記者、狗仔風湧而至，鄉民再趁火打劫你一言我一語地，我們的校譽與系譽就毀了。」

雖然，我又不是該校、該系的專任教師。

「那……要不要先報告李勇良老師？」

報告他？那不是沒事找事做、搬石頭砸自己的腳、吃飽了撐著？

「且……且慢。」我不置可否：「吉靜如同學，妳先不要慌張，calm down、calm down。」

「是是是……」

「先不要想報告李老師的問題。想一想，從誰那邊，可以問出森永結衣同學的下落？」

「……誰？」

「……朋友！」老狗變不出新把戲，我又祭出拖延戰術了：「妳先私訊一下她社群網站上的朋友，也許她們有人知道……」

「這招沒用，柯老師。下午上課……的時候，我已經……私訊過她們了。」吉娃娃用快飆淚的聲調說：「……沒有一個人知道。」

「真的假的？其他的日籍交換生呢？」

「森永結衣同學……是我們全校唯一的日籍交換生。」

基於臺、日政經實力、教育資源與學制上的歧異，這樣的結果並不出人意表。

然而，上智上學在日本是側重國際視野與英語能力的名校。來自這種名校的森永結衣會降尊紆貴到我們這所二流私校交換學習，本身就是件十分怪異的事。

「柯老師，要是……李勇良老師怪罪下來怎麼辦？」

時代不一樣了，昔日傳道授業的學校已經轉型為顧客至上的學店。李勇良學長最好會去怪罪學生，而把金雞母往外推。

最多，就是怪罪到我這隻不怕開水燙的死豬而已。要解釋那麼多太累人了，我對吉娃娃扼要道：

「不會啦。」

「不會嗎？可是……森永結衣同學人在何方呢？」

「是呀，人在何方呢？」

我凝望車窗外一臺臺摩托車飛馳而過的馬路，自言自語。

「她……這個學期才來我們班上，又是……個外國人。她的行蹤，我一點……一點頭緒都沒有。如何是好呢？柯老師，救救我……」

吉娃娃，幹麼無病呻吟呀？如今，深陷於泥淖中的人是我，極需被救的人也是我啊。

「沒那麼慘啦。」

「柯老師，可以救救我嗎？」

她這樣哀求，我能無動於衷嗎？

「吉靜如同學，我先忙個事。六點整，我跟妳約在一間『老少配』簡餐店見，好不好？」

「『老少配』簡餐店在哪兒？」

「地址我會傳給妳。」

「好，快傳給我。」

那間甫開幕的簡餐店到校區頗有段路程，而且熟客還不多。在那裡與我心愛的吉娃娃幽會才能鴨子划水，不致被學校的人撞見。

我都想好了。

11

傳完「老少配」簡餐店的地址後，一回住處，我就走進廚房，打開瓦斯爐，拿出鐵鍋燒水。水燒開後，丟了七、八顆水餃下鍋，並從冰箱裡取出一瓶礦泉水來。等水餃一顆顆浮在鐵鍋內的水面上，再關掉瓦斯爐，用湯勺將水餃撈進橫放了竹筷的瓷盤裡。

我用腋下夾著礦泉水的左手端著瓷盤走出廚房，用右手開我的房門。

聽到門響，仰躺在我床上的森永結衣就又「咿咿呀呀」了起來。不過這回她學乖了，聲量秀氣了許多。

別來無恙啊，「小佐佐木希」同學……

我蹲在床邊，鬆開她嘴裡的毛巾，將卸下瓶蓋的礦泉水瓶口湊向她的櫻唇。

她鼻頭動了動，然後張唇吸住瓶口牛飲著。喉嚨鼓鼓落落的她，漏了幾滴水到頸部與床上。

我抽面紙為她擦拭。

她聞到水餃的香味，嘴張得大大地，我便以入口前吹涼的方式，對她餵食。

往情色一點想，此舉不啻為我將「外物」向視覺與行動都受限的她身上的「洞」，不斷「填塞」、不斷「填塞」……

呵呵、呵呵。

她是真餓了，顧不得顏面，吃相難看而粗魯。餵到第三顆水餃時，她從吞嚥完食物的嘴裡柔聲問道：

「你是誰？」

我是誰？

我是教妳「行銷個案研討」課的柯宇舫老師。

「是日本人，還是臺灣人？」

嗯，日本沒有柯這個姓，所以我應該是臺灣人吧。

「是老人，還是年輕人？是男人，還是女人？」

問這麼多，有差嗎？

「請告訴我，拜託拜託……」

硬的行不通，就來軟的。她再怎樣拜託，我都不能洩露我的身分。

「為什麼要把我……」她想不到會用的中文詞彙，便說：「這樣？」

我一聲不吭，以一顆接一顆的水餃搪塞她的嘴。滿嘴都是食物的她繼續發問，但話語已含糊不清。

「為什……要……我……你……」

餵完水餃後，我掀開蓋在她身上的棉被。

「好冷，我的衣服呢？」

妳的衣服？我也在找呢。妳問我，我問誰呀？

包在她胯間的成人紙尿布上面的線條式顯示記號變了色。即使是忍功一流的日本人，也不可能強憋上一天而不尿尿吧。

該換了。

我撕開紙尿布，從她的臀部底下抽出來後捲成一團，扔在地上。雙手展開著新尿布，正要幫她換上時……

即使已非初睹，但她雙腿中間的下體處，那女性的至高秘境，依然引我心蕩神馳。

更別說秘境還正在打著冷顫呢。啊……

此時饒過，更待何時？

「請不要！」

彷彿看穿我的心思似地，她花容失色，如此抗拒道。

我將毛巾塞回她嘴裡，沾濕面紙後，細心清潔著她的秘境。不要看我這副邋遢相，我也是很講究個人衛生的。

開動了，いただきます……

下一步，我的舌頭便開始了秘境的探索之旅。登時，尿騷與體香交織的氣味入鼻，誘發出異樣的快感。

她扭著身軀呻吟了一聲，我也呻吟了一聲。

我的頭順著她凹凸不平的秘境表面上上下下，就像是在坐雲霄飛車似地。坐著坐著，憑本能伸出了我身上的條狀物，預備來個更為深入的探索……

天時、地利、人和，就給她一次衝到本壘吧！

正當我的條狀物蓄勢待發，碰觸到她的秘境門口時，被我放在地上的手機響起了Line的訊息鈴聲。

驚嚇之餘我懸崖勒馬，馬上撤回我的條狀物，並將手機調成全靜音。

還好只是Line！如果是有人打電話來，被她記下我的來電鈴聲，往後我想全身而退就更難了。

唉，事已至此，我怎麼還在做全身而退的美夢啊？只見床上的她戰戰兢兢，動也沒敢動一下。

我看了看手機螢幕，是吉娃娃傳來的訊息。

柯老師，我已經到「老少配」簡餐店了！

才五點而已。不是跟她約六點嗎？

那麼想念我，所以早到了一個鐘頭？既然如此，我怎麼好辜負妳的心意呢？

好，我立刻出發！

一邊打字，我一邊替劫後餘生的森永結衣換上新尿布，並蓋回棉被。

由於有口罩與毛巾的緣故，我分不出來她是因此鬆了一口氣，還是感到惋惜。

哼，來日方長。

12

森永結衣同學失蹤事件的5W1H

一反在系研討室見面時的慌亂，坐在「老少配」簡餐店裡的吉娃娃從容自若地對我亮出她寫在手機裡的這行標題。

說真的，她對這件事不該投入而投入的程度，比新裝潢的「老少配」簡餐店內瀰漫的甲醛味還令我吃不消。

「5W1H喔……」

「是啊。」吉娃娃搬弄手指數道：「5W就是……when、where、what、who、why，1H就是……how。」

人雖袖珍，她的手指甲與指節卻都很頎長。

「妳背得很熟哩。」

「柯老師在課堂上……有教過嘛。幸虧，我及時想了起來。」

「……」

作法自斃。早知道，我就不要教學生那麼多東西了。

「首先……是when，何時。森永結衣同學……是什麼時候失蹤的呢？」

「什麼時候失蹤的呢？」

吉娃娃沒讓我唱雙簧太久：

「她失蹤前的最後一個行程，是昨天的……管理學院交換生迎新晚會。代表本系出席迎新晚會的教師……是李勇良老師，還是柯老師？」

「……是我。」

「我想也是。李老師一看……就是那種只拿錢……不做事、只動口……不動手的人……啊，我心直口快，柯老師……可不要把我的話講出去喔！」

看似文靜可愛的吉娃娃跌破眼鏡，繼「爽歪歪」一詞後，再次語不驚人死不休。

所以，在她循規蹈矩的外表下，竟潛藏著一顆離經叛道的心嗎？不過，我並不care。

「我不會出賣妳的。」

「那就好……那就好……那麼柯老師，迎新晚會是從幾點鐘開始的？」

「……七點入席。」

「到幾點鐘結束？」

「這……我因為喝了點酒，記得不是很……」我搔搔頭：「不過，去年我也有出席。去年是到快十一點……」

「快十一點？那不就……過了學校接駁公車的發車時間嗎？」

「對，所以今年姚院長就多邀請了較為熟門熟路的僑生同學一同參加迎新晚會。這樣晚會結束後，僑生同學對交換生同學也可以有個照應。」

「可以……幫忙護送交換生同學回宿舍？」

「I think so。」

「柯老師，這學期……加入我們行銷流通與管理學系的……交換生，一共有幾位啊？」

「十一位、十二位吧？」我查了手機後，答道：「一共有十三位。除森永結衣同學外，其餘都是從對岸的姊姊校來的。」

「我們班上的交換生同學就有……十三位。這樣說來，我們系上的……交換生，全數都被編在我們班囉？」

「由於在本校的《校際交換生研習辦法》中，只有開放到大三以下的學生。」在李勇良學長的威嚇下，我已經將該辦法的條文背得滾瓜爛熟了：「因此這十三位交換生跟妳一樣，都是二年級。」

「是喔……那我們班的僑生，應該就有受邀參加昨天的迎新晚會了？」

「我知道妳們班的僑生裡有一個湯浩宣。他之外，還有誰？」

「還有一個……胖胖的女生，從澳門來的……施詠婷。」

在吉娃娃撥打電話的時候，打工的男服務生送來了我們點的兩份雞腿簡餐，順勢碰倒了我的水杯。

男服務生彷彿沒事般揚長而去，經我怎麼叫也叫不回來。

「喂？施詠婷嗎？對對對……對對對……好啦好啦，我沒忘，下禮拜……下禮拜我請妳可以了吧？一言為定！喂，我問妳，妳昨天有去……迎新晚會嗎？管理學院的交換生迎新晚會……我知道妳不是交換生啦！嗯……澳門啦！我沒弄錯吧？什麼？沒去喔？為什麼？哦……身體不適？」

我只好自己抽了兩張紙巾，清拭桌面。

「喂？湯浩宣同學嗎？我是班代吉靜如……要問你一件事，昨天管理學院的交換生迎新晚會……你有去吧？對對對……對對對……對對對……」

吉娃娃朝我眨了眨眼，意思是「中了」。

所以，湯浩宣昨天上完我的「策略管理」課後，也有趕去海島渡假飯店囉？要死了，我想破了頭，也想不起來會場中有他……

這樣下去，總有一天，我大腦裡的海馬體會自動消除掉所有有關男生的記憶，只保留女生的了。

「昨天的……迎新晚會到幾點結束啊？去年是到快十一點說……什麼？昨天十點半時你一個人先走了？那你不是……就沒有學校的接駁公車可坐了嗎？是喔？你有開車喔？車……什麼時候買的？不是你的，是你阿姨的？什麼？很多同學都坐過你的車喔？那我有沒有這個榮幸……喔……喔……好啦，好啦好啦……」

吉娃娃又打電話問對岸來的交換生們才知道，昨天的迎新晚會是在十一點鐘結束的。

「柯老師有待到最後嗎？」

「這個……」

我有待到最後嗎？有嗎？喔，不要問我那麼難的問題啦……

「十一點結束後，我們班那十二位……從對岸來的交換生同學意猶未盡，又去東區的ＫＴＶ夜唱到兩點，才……搭計程車回宿舍。」

「兩點？學生宿舍不是有門禁嗎？」

「他們說，昨天為因應……迎新晚會，所以門禁被取消了。」

「他們沒有和森永結衣同學一起去夜唱？」

「……沒有。因為是……日本人的關係，他們和森永結衣同學……沒有什麼交情。」

「所以迎新晚會結束後，他們也不曉得森永結衣同學去了哪裡？」

「他們也不曉得。柯老師最後一次……在迎新晚會上看到森永結衣同學時，是幾點鐘呢？」

「幾點鐘啊……」

已經去過臺灣那些地方啦？

不好意思。柯老師，我還沒有離開過臺北呢。

啊？怎麼會這樣？

不好意思、不好意思……

既然來了，就多出去走走啊。

不好意思、不好意思……

我和森永結衣的這段對話，是發生在她過來我們教師桌敬酒的時候。

敬酒是在接在姚院長的致詞與餘興表演節目之後。迎新晚會delay了半個鐘頭，七點半才開始：姚院長致詞了約十分鐘；餘興表演節目進行了約五十分鐘吧。所以森永結衣過來敬酒，應該是八點半以後的事了。

我這麼告訴吉娃娃後，她搖頭晃腦地說：

「喔？柯老師最後一次……在迎新晚會上看到森永結衣同學時，是八點半左右嗎？」

「最後一次……」

敬酒以後，我就沒有在迎新晚會上再看過她了嗎？

學校的管理學院共有五個系，每個系上的交換生從兩、三位到十幾位不等，因此在昨天的迎新晚會裡聚集了三、四十位交換生。外加僑生，就有近五十位學生。

姚院長包下了飯店的一個廳，每桌十人，席開六桌，多出來的一桌是我們教師桌。身處多達五十位學生的場合，又要應付坐在我鄰座的張奎龍教授，怎麼可能隨時對森永結衣的形跡瞭若指掌呢？

她又不是吉娃娃妳，對不對？話說敬酒以後，我就沒有在迎新晚會上再看過她了嗎？

見我徬徨的樣子，吉娃娃起身道：

「柯老師……再回想一下吧，我先去上個洗手間。」

「好。」

望著她離座的背影，我禁不住想像如果是她代替森永結衣被脫得精光，仰躺在我床上的場景：兩眼被口罩蒙起、嘴巴被毛巾塞住、雙手雙腳被五花大綁、下半身還包著成人紙尿布……

尿布、廁所、洗手間……

我先去上個洗手間。

洗手間？

昨晚，我好像也說過這句話。是對誰說的呢？對誰說的呢？

張教授，失陪失陪，我先去上個洗手間……

是對張教授說的。教師桌席間有兩位姓張的助理教授、一位姓張的副教授，但只有一位姓張的正教授，就是坐在我鄰座的，我們行銷流通與管理學系的張奎龍教授。

昨晚半醉半醒的他，虛耗了我一個多鐘頭的時間在大談他的家務事。忘了是他太太對他不滿，還是他對他太太不滿，兩人在上個月初宣告分居。雖然還沒離婚，但彼此共有的產權該怎麼歸屬，已經吵翻了天。

他媽的，就算是簽了字，這死老猴的家務事也跟我八竿子打不著啊！我實在招架不住，便藉尿遁道：

「張教授，失陪失陪，我先去上個洗手間……」

「柯老師，快點回來喔！」

「是是是……」

離開包廳後我偷看手機：十點五分。煩死人了，什麼時候才能從這場鬼迎新晚會中脫身啊？

走到走廊底的廁所門口時，我被人給叫住了。

「柯老師！」

一轉頭，印在我視網膜上的是件黑色的長大衣、米色的緊身褲與一雙深褐色的長靴……

是森永結衣。她欲言又止，用無助的目光投向我。
「有事嗎？森永結衣同學。」
「不好意思。柯老師現在有空嗎？」
「現在？」
「可以問柯老師一件事嗎？」
「什麼事呢？」
什麼事？
是呀，她問了我什麼事呢？

「我最後一次在迎新晚會上看到森永結衣，應該是在十點五分前後。」
吉娃娃回座後，我將昨晚的這段據實以告。
「那麼……就將她失蹤的時間暫定在昨晚……十點五分以後吧。其次是where，何處。她是在……哪裡失蹤的？答案是……海島渡假飯店。柯老師同意嗎？」
「同意。」
「第三，what，什麼。同時與她失蹤的……還有什麼東西？要回答這一點，我們可以去學生宿舍裡……她的寢室走一走。」
「啊？還要去她的寢室喔？可以不要嗎？」
「第四，who，誰。是誰……拐走她的？要回答這一點，必須要從……她在臺灣的人際關係網著手。」

「雖然才來了兩個月，但像她那樣外型出色的女生，必定很受矚目吧？」

吉娃娃吃了一口飯後，點點頭道：

「她在PPT表特板上的人氣……旺到一個不行！小佐佐木希耶！男粉絲超多，誰不哈啊？只有……四個字可以形容：炙手可熱、燒滾滾啦！」

「那不是四個字，是七個字……」

「柯老師知道嗎？她每一天，都會接到……約炮的留言呢！」

「約炮？」

「就是約她去……打炮啦！每一天喔！」

哇，行銷流通與管理學系的二年級班代表又語出驚人了。

「每一天啊？那她很忙囉？」

「不不不，她跟我說過，她對那些……低級的男生……沒興趣。」

「那麼有原則喔？」

「人家是……日本人嘛！」

「也對。她在日本有男朋友嗎？」

「她說沒有。」

「我不信。她那麼漂亮，怎麼可能會沒有？」

「可能是……上一段剛結束，還處於單身的過渡期吧。」

「那她在這邊有交新的男朋友嗎？」

「不像是……有的樣子。」

「對臺灣男生都看不上眼嗎？那她跟同學相處的情況如何？」

「我之前有說，從對岸來的交換生同學……可能是出於政治因素，沒怎麼在理她。」

「臺生同學呢？」

「女生……約她出去，十次裡會成功八、九次；男生……約她出去，十次裡只會成功一、兩次。」

「果然對臺灣男生興趣缺缺啊。她在班上，有什麼要好的朋友嗎？」

吉娃娃放下筷子，深思道：

「據我的觀察是……沒有。」

「一個都沒有？」

「一個真心的……都沒有。」

「為什麼會這樣？」

「我猜是因為，表面上……她好像跟大多數同學相處得很融洽，但骨子裡……她對人是有保持距離的。」

能觀察出這一點來，不負為我才貌雙全的吉娃娃。

「日本人不都這樣嗎？」

「好像是喔。」

「什麼好像是？就是！」

「話說回來，對誰都不太親近……的她，有可能會被誰誘拐呢？」

「就因為對誰都不太親近，所以誰都有可能誘拐她。」

為了自清，我用這種似非而是的講法混淆吉娃娃。

「柯老師認為……誰都有可能是嫌犯嗎？」

不，這樣不就等於我自己挖洞給自己跳了嗎？我改口道：

「話不是這麼說。既然有那麼多男生約她出去都吃了閉門羹，依我看，這些人的嫌疑最大。妳不妨從這方面深入調查……」

愈深入愈好。這樣，才不會被懷疑到我頭上來。

「好。」吉娃娃上鉤了：「第五，why，為什麼。為什麼……要誘拐她？」

「這跟第四點有連帶關係。因為約她遭拒，所以要誘拐她，以資報復。」

「報復？那麼綁匪誘拐她的目的，不就是要……性侵嗎？」

「嗯，八九不離十。」

我繼續誤導。吉娃娃一聽，愁眉苦臉起來：

「那麼，就在我們坐在這邊，悠哉悠哉地……共進晚餐的時候，她會不會已經……慘遭毒手了？或是，已經……慘遭好幾回的毒手了？」

「或許……還沒那麼快吧？」

「柯老師，從昨晚十點五分……到現在，已經過了十幾個……鐘頭了耶！什麼叫沒那麼快？」

「啊，已經過了那麼久啦？」

「柯老師才知道啊？事不宜遲。我們趕緊……把飯吃一吃後，就去她的寢室看看吧。」

13

我還是頭一遭在晚上七點鐘這種時間到學校來。

學生宿舍位於主校區對街的第二校區南角，一共有三大棟。從臺灣境外來的校際交換生住的宿舍足以媲美商務旅館，是三棟裡最新落成的一棟，也是造型最氣派、設備最豪華的一棟。比我租的公寓還強上十倍有餘。我只能感嘆，在現今這種時節，當一個大學生還比當一個大學兼任教師有尊嚴得多。

森永結衣的寢室號碼是六〇九，也就是從六樓電梯出來後的第九間。吉娃娃輕敲房門後，門內有人應道：

「是行銷系的吉靜如同學嗎？」

「對。是李泰希同學嗎？」

李泰希是森永結衣的室友。聽名字，就知道她是韓國人。「李泰希」，會不會長得很像金泰希呢？學校之所以把從日、韓這兩大世仇來的交換生送作堆，並非是對東亞歷史與文化無知，而是找不到同國籍的交換生可以配對。

森永結衣是全校唯一的日籍交換生，而李泰希是全校唯一的韓籍交換生。

會不會長得很像金泰希呢？想太多。房門被打開後，混搭毛衣與睡褲站在門後的李泰希套句年輕世代的網路用語，就是「普妹」一枚，和韓劇中的女主角大異其趣，更不要說是長得很像金泰希了。

不過普妹歸普妹，她還是彬彬有禮地對我們問好，尤其是對我。

吉娃娃在「老少配」簡餐店時，已經透過臉書向這位彬彬有禮的韓籍交換生表明過來意了。

「我和一位……柯老師要來拿森永結衣同學的東西……」

當時吉娃娃是這麼說的。步入六〇九室後，李泰希一為我們帶上門，就神秘兮兮地問道：

「森永結衣同學怎麼了？」

她的國語比森永結衣還標準。敢情，韓國人也挺八卦的嘛。

不，即使是世仇，自己的室友昨晚徹夜未歸，十幾個鐘頭下來都音訊杳然，是人都會關切的。而且從二零零二年合辦過世界盃足球賽後，橫亙在這兩國間的高牆似乎就有破冰的跡象。

吉娃娃端出與我串好的供詞：

「她……住院了。」

「住院？」李泰希一驚：「身體不舒服嗎？」

「嗯，昨天……她參加完管理學院的交換生迎新晚會後，吃壞了肚子……」

「肚子痛嗎？真巧，和她吃不同晚餐的我也是呢。」李泰希是社會科學院的交換生，而昨天的迎新晚會是管理學院的場子，所以她並沒有參加：「她住在哪一家醫院裡啊？」

這麼問，是要去探病嗎？吉娃娃忙道：

「她的病情……很輕，再住個幾天就沒事了……沒事了……我們可以開始了嗎？」

「開始？」

「我們要拿森永結衣同學的東西……」

「喔！」李泰希恍然。她扶了扶鼻樑上的大眼鏡，向右瞥道：「她的東西都在這邊……」

估計有十來坪大的寢室內均分為兩個生活空間，各有一套書桌、衣櫃、書櫃、收納櫃與單人床：李泰希的在進門左側；森永結衣的在進門右側。
比起李泰希，森永結衣的私人物品更為乾淨，並被收拾得井然有序，就像建商預售的樣品屋或是傢俱賣場裡的展示間一樣。
讚嘆之餘，吉娃娃和我便分頭進行。
因為漫無目標，所以我們活像兩隻無頭蒼蠅。有些地方被她翻過後，又被我翻了一遍；有些地方卻不約而同都被我們兩個忽略。
「是什麼東西呢？我也許知道放在哪兒。」
李泰希可能看不下去，而從旁請纓道。答不上來的吉娃娃含混地說：
「就是那個……那個……」
「哪個？」
「那個……」
「我們來就好。李泰希同學，妳忙妳的……」
我亦語焉不詳。然而，東翻西找了好幾輪後，漸漸有些眉目了。
從森永結衣身上不翼而飛的的衣物，既不在我的套房內與車上，也不在她這間寢室裡。
她昨晚穿的黑色長大衣、米色緊身褲、深褐色長靴等等，以及皮夾、手機、包包等貼身物品……
「李泰希同學，妳從昨晚到現在有離開過寢室嗎？」
我問。李泰希爽快回道：
「沒有。因為肚子痛，所以我昨晚七點就回來上床休息了。今天一整天我都沒有外出，也沒有吃東西。」

「肚子好一些了嗎？」
「好多了。明天應該就可以吃東西啦！」
「妳在床上休息的時候，都沒有人進來過寢室嗎？」
「沒有啦。柯老師，這樣講得我好『毛』啊！該不會有鬧鬼吧？」
用語相當道地。李泰希在學中文時，下過不少苦功吧。
昨晚，森永結衣是在約八點半時過來教師桌敬酒，約十點五分時在廁所門口叫住我……
除非李泰希是在說謊。否則迎新晚會結束後，森永結衣應該是不曾回來過她的寢室才對。迎新晚會結束後，她直接搭我的便車，車程中將衣物往車外扔，然後隨我回住處？
我租的套房在三樓。她就這樣赤裸裸地走在公寓的樓梯間上？沒必要吧！進屋再脫也不遲啊。
而且，哪有人會為了上床，連自己的皮夾、手機、包包都不要了呢？
她的衣物是被人拿去藏起來或扔棄了。這人要不就是醉到失態的我，要不就是惡意的第三者……
「找到了！」
半蹲在森永結衣書桌前的吉娃娃對我和李泰希晃著她手上的筆記本。
「找到了嗎？」
李泰希說。吉娃娃一徑點頭：
「這就是森永結衣同學……要我們帶去病房的東西……」
那是一本黑色的A4筆記本，封面只印了歪歪斜斜的「DEATH NOTE」兩個英文字。
「這是日本漫畫『死亡筆記本』的周邊商品。」

坐電梯下樓時，吉娃娃為我解惑。

「『死亡筆記本』？」我已經八百年沒碰日本漫畫了：「意思是摸了就會死的筆記本嗎？」

「沒那麼……恐怖啦。是名字被寫進內頁的人，四十秒後……就會死於心臟麻痺的筆記本。此外，還有各式各樣的死法……」

「什麼呀？這比摸了就會死還恐怖啊！」

「那是……漫畫的情節。我手上的這本筆記本只是……一般的筆記本，不具漫畫虛構的那種效力。」

「當然。真有那種效力，那不天下大亂了嗎？」

我把吉娃娃手上的筆記本拿過來翻開。

有十幾張筆記本的內頁都已經被撕掉了。餘下的內頁，盡是白紙。

「妳拿這種東西做什麼呢？」

我一頭霧水。吉娃娃接過筆記本後翻到最末一頁，指給我看。

那一頁上面用原子筆寫著三行大大的中文字：

南投　三分之一島酒店
屏東　愛相隨民宿
花蓮　尤蘭達旅館

「柯老師，這是……誰寫的？」

我才批改過期中考卷，還認得出那微向右上斜的字跡。

「我有九成把握，是森永結衣同學寫的。」

「畢竟……這是她的筆記本嘛。」吉娃娃說：「內頁能撕的……都撕了，只寫著這三行字，不是……很可疑嗎？」

搞不好，這只是森永結衣未來的環島旅行計畫。不過，我還是附和道：

「是很可疑。」

「我回去研究看看。」

語畢，她就在交換生宿舍門口與我道別，走去公車站搭車了。

我回住處時才晚間八點半。床上的森永結衣可能是因為無事可做而百般聊賴，又深陷於沉眠中了。

真好睡啊……

我進廁所盥洗沐浴。出來後，拿出備用的床單與棉被鋪在地上，再掀開蓋在森永結衣身上的棉被。

奔波了一天後再面對這名裸女，我已經沒有什麼性慾可言了。

既然要背負「妨害自由」或什麼的罪名，我寧可犯案的對象是吉娃娃……

然而一想到吉娃娃，我體內的荷爾蒙就又翻攪了起來。倒不如，就把森永結衣當作是吉娃娃吧。

我伸舌舔森永結衣的雙腿，幻想自己是在舔吉娃娃的雙腿；舔森永結衣的乳頭，幻想自己是在舔吉娃娃的乳頭；吸吮森永結衣的纖纖玉指，幻想自己是在吸吮吉娃娃的纖纖玉指，伸出條狀物來勇闖森永結衣的秘境，幻想自己是在勇闖吉娃娃的秘境……

不行。

失敗了，不行。因為我未曾見過吉娃娃的裸體，所以無從幻想起。愈是幻想，吉娃娃的裸體就愈是四不像……

「咿咿……呀呀……」

森永結衣被我弄得夢囈起來。

罷了，今晚就饒了她啦。雖然替她蓋回棉被時，我頗有搖醒她後這樣問她的衝動：

昨晚妳搭完我的便車後，我是怎麼把妳帶進房來的？

即使不問她，我也可自行歸納出以下兩種可能性：

第一，昨晚在「小魚」早餐店前停好車後，我先背著或抱著失去知覺的她進我的套房，再為她褪盡衣物。

如果是這樣，那她的衣物為何不在這房內，也不在這屋內？

第二，昨晚在「小魚」早餐店前停好車後，我先為失去知覺的她褪盡衣物，再背著或抱著她進我的套房。

如果是這樣，會衍生出三個問題。

第一個問題：她的衣物不在我的車上，所以是被我給扔到戶外了嗎？

第二個問題：「小魚」早餐店離這裡有七、八條巷子那麼遠。我背著或抱著一名裸女走了那麼長的路，如何能掩人耳目？

第三個問題：我跟森永結衣身高相彷，體重也重她不到哪裡去。這樣的我，背著或抱著她走那麼長的路，體力上能負荷嗎？

昨晚她搭完我的便車後，我是怎麼把她帶進房來的？

既然我的體力不堪負荷，會不會還有第三種可能，就是她是自己走進來的？

她是清醒著自己走進來的嗎？這一點，由於她白天的嗜睡而存疑。

而且，如果是這樣，她自己走進來的時候，身上是有衣物還是沒衣物的？假如是有衣物，同樣地，她的衣物為何不在這房內，也不在這屋內？

假如是沒衣物呢？想到這層，我由下而上掀開棉被，查看她的腳底。

她白淨的腳底滑嫩而軟綿綿地，摸不到一塊硬皮或繭，塗成銀色的十片趾甲上也沒有任何外傷。

樓下門外有塊工地，屋內客廳的地板又髒兮兮地。如果她是赤足走進來的，雙腳不可能安然無損……

結論是：以上三種可能性都各有漏洞。我是怎麼把她帶進房來的？無解！

退而求其次吧：昨晚我是幾點帶她進房來的？

一查臉書，我昨晚十點二十五分的時候，在海島渡假飯店打了卡。

從海島渡假飯店開車回這裡，用飆的也要一個鐘頭。因此，我昨晚最快回來的時刻應為十一點半左右。

進房後，喝掛又累癱了的我澡也沒洗，就倒在床上……

倒在床上……

那時候，我的背部好像因為壓到重物而有不平感。那重物，會不會就是先我一步被我安置在床上的森永結衣？

她在海島渡假飯店的廁所門口叫住我後，就被我給撿屍回來了嗎？

我們在廁所門口談了些什麼呢？

我沒有警察的公權力相助，無法調閱飯店或其餘公共場所的監視器，也盤問不了每一位利害關係人，只能用我生鏽而退化的腦袋盡量拼湊出事實。

柯老師！

有事嗎？森永結衣同學。

不好意思。柯老師現在有空嗎？

現在？

可以問柯老師一件事嗎？

什麼事呢？

去年管理學院的交換生迎新晚會……

去年管理學院的交換生迎新晚會？

她問這個做什麼？有關去年管理學院的交換生迎新晚會，她問了我些什麼呢？

去年管理學院的交換生迎新晚會……

去年的迎新晚會是幾月幾號舉行的呢？我把手機拿來一看時，眼珠差點沒掉出來。

有五通李勇良學長的未接來電。怪怪，他鐵定氣炸了！

因為怕被森永結衣聽見而將我的手機鈴聲調成全靜音，卻弄巧成拙。我鎖上房門，跑進廚房裡去回撥。響了七、八聲後，李勇良學長沒好氣地在話筒那頭用南部腔的臺灣國語說了句：

「喂。」

「學長，抱歉抱歉抱歉抱歉……」

「柯老師，搞失蹤可不是什麼好事啊，害我一天都找不著人，別再有下次了！」

只要他所謂的失蹤指的是我而不是森永結衣，我怎麼挨罵都心甘情願。

「是是是，我發誓，不會再有下次了！」

「再有下次，就要留系察看了！」

「遵命！學長找我，有何指教？」

「我們行銷系的學生出事了，柯老師甘知？」

行銷系的學生出事？

我面如死灰。森永結衣一整天下來的銷聲匿跡，已經在系上東窗事發了嗎？

「這個……我……不知道。」

「柯老師，我不是叮嚀過了嗎？不要自限於兼任教師的角色，而要以一位本系的專任教師自居，積極參與系務，未來，才有可能更上一層樓啊！」

「是是是……」

李勇良學長說的「更上一層樓」，就是被學校聘為行銷管理與流通學系的專任教師。

「有一位學生今天缺課了。而且，後續還會繼續缺課下去……」

死定了！

森永結衣的事傳到他耳裡去啦！是吉娃娃不聽我勸，而去向他告密的嗎？為什麼？為什麼？吉娃娃，為什麼要這麼大嘴巴？

「我倒了八輩子楣，好死不死就是該生的級任導師，想放著不管這事都不行。」

「級任導師？」

「放著不管，學分已經被當到岌岌可危的該生，就會更畢不了業啦……」

「畢業？學長，你不是大四的級任導師嗎？」

「是呀，系上那麼多專任教師，偏偏排我去帶大四，有夠衰！而且我已經連當三年的級任導師了。下次系務會議的時候我要提臨時動議，級任導師要像總統一樣，只能連當兩屆，事不過三！」

大四？森永結衣……

「不是大二嗎？」

「什麼大二？我是大四的級任導師！要不然余紹恩出車禍，系主任怎麼會找到我頭上來？」

「余紹恩？」所以他不是為森永結衣的事打電話給我了？害我虛驚一場：「什麼時候出的車禍？」

「昨天晚上十一點，騎車闖紅燈的他與一輛砂石車對撞。我下午去看他時，他還在加護病房裡，尚未脫離險境。」

「尚未脫離險境呀……」

天有不測風雲，人有旦夕禍福。

昨天下午還在我的「策略管理」課上調皮搗蛋的他，不出幾個鐘頭後，就被死神召去拔河了。

那小屁孩的上臂很壯，力氣……應該會比死神大吧？

「柯老師，明天早上八點來我的研究室一下，我們商量商量余紹恩的事。」

「早上八點？」

我明天又沒課，冬天還要那麼早去學校？而且，我又不是余紹恩的級任導師……

「沒法度。我明天課多，中午又有兩個會要開。就這麼定了！」

講完，李勇良學長不容分辯地掛上電話。

14

鋪在地上的備用床單與棉被都太單薄了，睡得我腰酸背痛不說，還因此著了涼。

第二天早上八點，當我與李勇良學長在他的研究室裡面對面時，他倒是元氣滿滿，和精神不濟而噴嚏連連的我恰成對比。

髮線又比上回後撤了幾公分的他瞪直一雙凸眼，穿過時款polo衫的上半身深埋進辦公椅中，好整以暇地問我：

「柯老師來我們行銷管理與流通學系兼課幾年啦？」

兼課幾年？咦？不是要跟我商量余紹恩的事嗎？

我有預感，他要開始長篇大論了。每當他這麼做時，就是有吃力不討好的苦差事要丟給我的前兆。

「……七年了。」

「七年了？一晃眼七年了？都說光陰似箭、歲月如梭，一點也不假啊。這學期教什麼科目啊？」

廢話少說，速速切入正題吧！

「我這學期教『行銷個案研討』與『策略管理』，兩門科目。」

我畢恭畢敬說。李勇良學長的目光一亮：

「『策略管理』課是開在大四吧？所以柯老師對我導師班的四年級同學也很熟絡了？」

這問題肯定是個陷阱。我若答「對」，也不是；答「不對」，也不是。

「還好啦。」

這「好」字一入耳，李勇良學長立即打蛇隨棍上：

「既然好，那我就可以放膽提出我的構想了：我想在系上推動『雙導師制』。」

「『雙導師制』？」

一聽就沒好事，百分之九十九點九是要拉我下水。

「現在的大學生呀，個別差異那麼大，屬性益趨多元，課業、打工、人際與感情狀況也愈來愈複雜。相對地，級任導師也應朝多元化方向調適才足以因應。柯老師說對不對？」

「啊……嗯……」

我垂下頭去，用擤鼻涕的面紙遮臉。

「每班增添第二位級任導師，可與原級任導師截長補短、相輔相成，創造出一加一大於二的『綜效』。Synergy，『綜效』。」李勇良學長說得口沫橫飛。反正，都他在講：「就先從我的導師班開始試辦起。這第二位級任導師的榮銜，柯老師責無旁貸吧？」

「這……我……」

「有疑慮？」

「不……我……嗯……」

李勇良學長話鋒一轉：

「我岔個題外話。關於柯老師應徵本系專任教職的事……」

輪到我目光一亮了：

「此案會在下個月本系的教師評審委員會議，簡稱『系教評』會中，交付由包括我在內的全體系教評委員表決。」

「是、是……」

「下個月嗎？」

我的心糾結不已。李勇良學長挖了挖鼻孔，若無其事地說：

「不過，另一位本系的兼任教師王琦蓁老師在截止日期前，也送出了專任教職的應徵文件。」

「王琦蓁？」

果然不出我所料。這種千載難逢的機會，那婊子怎麼可能缺席？

「在下個月的系教評會議中，我們這些系教評委員就要面臨二選一的艱難抉擇了。還真是煩惱啊……」

去你的，還在那邊惺惺作態。煩什麼惱啊？

煩什麼惱啊？有什麼好煩惱啊。最後出線的不二人選，捨我其誰？

你們這些系教評委員都瞎了眼嗎？我在行銷管理與流通學系整整兼了七年的課，奉獻了七年的青春。七年！

一生能有幾個七年？誰人甲我比？而王琦蓁那個婊子呢？才來兼兩年的課而已！

七大於二、七減二是五、七除以二是三點五。我的年資，是她的三倍還有餘！

這七年來，我又要授課，又要全天候充當李勇良學長的助理，處理一切他在教學、研究、服務上不屑為之的雜事，為他跑腿、擋子彈、出生入死，操勞得我人不像人、鬼不像鬼地。

而王琦蓁那婊子有嗎？沒有！她什麼雜事都豁免了，只需要撒嬌、裝可愛與賣弄風騷，就能讓那群專任的色老頭們心花怒放，搏得滿堂彩。

「柯老師教書認真，對本系的貢獻也有目共睹。然而作為後起之秀，王老師的專業知識與能力也是不容小覷。因此目前兩位的態勢可說是五五波，相互在伯仲之間……」

後起之秀個屁，專業知識與能力個屁。

挑明了講，就是那群色老頭們起心動念，想把我做掉，好跟王琦蓁那樣標緻可人的三十歲未婚女性在校共事嘛。

李勇良學長將挖出來的黑鼻屎向後一彈，放話道：

「因此，我們委員在系教評會上的攻防焦點，就在於兩位老師的『貢獻度』孰高孰低啦。這樣講，柯老師懂不懂？」

「懂。」

如果滿分是一百分，那麼我至今對系上的貢獻度可拿一千分；而王琦蓁那婊子能拿個十分就很了不起了。

「既然懂，那麼擔任大四班第二位級任導師以累積『貢獻度』的事，柯老師意下如何？」

「……當仁不讓。」

我含恨說。

「好極了，這事就敲定啦。上、下學期的導師班學生輔導、晤談、訪視以及相關的文書作業，就有勞柯老師啦。還有，每學期學生操行成績登錄的期限，務必留心。至於余紹恩這顆『燙手山芋』……」

李勇良學長毫不避諱地用了這四個字：「他清晨四點時已脫離險境，從加護病房轉到普通病房了。」

「那就好。」

「但是，要如何重修他被當掉的學分，還要補救他住院時缺上的課與缺考的試，讓他明年六月如期畢業，不拉低本系的『學生學習績效』指標，就考驗著柯老師的智慧了。」

什麼？考驗我的智慧？

不是要來商量的嗎？不用考驗你的智慧嗎？所以，余紹恩變成我一個人的事了？媽的。

卸責後的李勇良學長一派輕鬆，開始閒話家常：

「本系交換生的指導工作，柯老師做得還順利嗎？」

「順利……」

不順利也得說順利。李勇良學長撫掌笑道：

「邁入第二年啦，也已經駕輕就熟了吧。為了補償，我可是把接連兩年出席管理學院交換生迎新晚會白吃白喝的權利，都讓給柯老師了呢。」

還說呢，交換生的指導費用他可是一毛也沒給我……

慘了，導師費他會不會也比照辦理？

「學長，那個……導師費……」

「什麼？」

「那個，導師費的話，那個……」

「導師費呀？雙導師制因為還在試辦階段，所以四年級的級任導師仍先由我一人掛名。」

李勇良學長答得避重就輕。媽的，你一人掛名，導師費不就只匯到你的戶頭了？我永遠只是做白工的命……

「說到交換生，我從學生的臉書中得知，有位本系的交換生生病住院了？」

這記冷箭，殺得我猝不及防。

是哪個白目學生加李勇良學長為好友的？不會是吉娃娃吧？

「是……是日本來的森永結衣同學……」

「下星期三？」

「學生又傷又病的，本系真是多災多難，不會是被人下蠱了吧？下星期三前，她出得了院嗎？」

「那天，是她的母校上智大學派員來訪查交換生學習現況的日子。我們總不好把人家請到醫院裡去吧？」

「是……」

「下星期三那天，站在訪查員面前的必須是一個健健康康的森永結衣，本系才有面子啊！柯老師，別一臉愁雲慘霧的嘛！是因為被交辦了太多學生的事要忙嗎？」

「這個……也不是啦……」

「這樣吧，我派我最得力的教學助理，大二的班代表吉靜如同學來全力襄助柯老師。別看她個子不高，辦事能力是一流的呢！雖然口條不太輪轉，但像她這樣功課好、長得又可愛的鎮系之寶，我是不隨便外借的喔……」

「是……」

李勇良學長看看他的手機說：

「八點四十分了，我該去上課了。」

咦？第一節課不是八點十分就開始了嗎？他老先生還在研究室裡……

我起立告辭時，又挨了他一記悶棍：

「啊！張奎龍教授要我提醒柯老師，這個月的房租該繳啦！」

「喔，我會盡快繳的……」

是的。

張奎龍教授，就是租給我套房住的那位房東。

15

「我……打過電話了。」

「打電話？給誰？」

「南投的『三分之一島』酒店、屏東的『愛相隨』民宿與……花蓮的『尤蘭達』旅館。」

「這三間是……？」

「柯老師貴人多忘事嗎？這三間……是森永結衣同學在她的『死亡筆記本』上寫下的名稱啊。」

「喔。這些名稱都太沒有特色了，不能怪我……」

午休時分，吉娃娃銜李勇良學長之命，首度以我的左右手之姿，在學生餐廳角落的座位裡向我陳述她上午的進度。

「柯老師，都很有特色好嗎？」她在深色長袖上衣外穿了一件灰色的吊帶褲：「我已經……訂好了。」

「什麼？」

「這三間酒店、民宿與旅館的房間，我都已經……訂好了。」

吉娃娃正襟危坐地說。我不可置信：

「訂房間？是要幹麼？」

「柯老師，如果要在……下週三上智大學的訪查員抵達之前找出森永結衣同學的話，這是……我們目前唯一能掌握到的線索啊。」

「話是這麼說沒錯，可是……」

「我都規劃好了：星期五晚上住『三分之一島』、星期六晚上住『愛相隨』、星期日晚上住『尤蘭達』，星期一下午回來上課……」

別看她個子不高，辦事能力是一流的呢！

「吉靜如同學，妳是嫌錢多嗎？」

「錢？住宿的費用，柯老師……好意思讓我這個學生出嗎？」

「什麼？所以是我買單？」

「啊不然咧？一道同行的……就只有柯老師和我。我不出，就是柯老師出囉！」

「一道同行的，就只有我和妳？」

吉娃娃聞言，故作哭泣狀地搞笑：

「否則，柯老師……狠心讓我這名弱女子孤身去環島嗎？嗚嗚嗚……」

我怎麼狠得下這個心？

再說，這可是我和吉娃娃兩人世界的環島蜜月旅行呢。因為是要找出失蹤的交換生而去查案，所以我這個做老師的能名正言順與她共宿三晚……

真是天上掉下來的大禮！

美夢成真，我太幸福了！即使，這是一趟加害人裝模作樣去尋訪被害人的荒謬之旅……

「柯老師……的嘴角在抽搐呢。還好嗎？」

「還好還好……」

再好不過了！

「我們就坐……柯老師開的車去吧。有自己的交通工具，機動性較強……」

No problem！我才不會讓高鐵、客運還是火車上的閒雜人等來打擾我們小倆口的呢！

……

可是，森永結衣咧？

被我囚禁在套房裡的她，她的生活起居，在我偕吉娃娃去度蜜月的期間，要由誰來看顧？

誰？

搭環湖纜車到此一遊

1

星期五中午，十二點鐘。

我將我的白色國產舊車暫停在校門口的黃線上怠速，閉上眼睛正要小睡時，就被敲車窗的聲音驚醒起來。

「柯老師，wake up！」

結束了一週課程的吉娃娃穿紅色帽T與黑色格子長褲，背著女用的粉紅色登山背包，手提一大包塑膠袋，站在副駕駛座的車門外。

左手腕上還戴了三、四條bling、bling的手環。我斜過身去，幫她開車門。

「妳的登山背包要不要放後車箱？」

因為後座已經堆滿了地圖、大學校園導覽、車禍事故處理須知、學校行事曆、發票、塑膠袋等雜物。她點了點頭，於是我將車熄火，下車到車後用鑰匙打開後車箱。

她愣了愣：

「汽車的駕駛座下方……不是都有開啟後車箱車蓋的開關嗎？」

「嗯……這臺車的開關故障了，我又沒去修……」

我面紅耳赤地幫她將登山背包放進後車箱，再關上車蓋。

實情是，我這臺舊車的年份太古老，連她說的駕駛座下方的開關都沒有。

都坐定後，我發動引擎，踩下油門，開始我們的蜜月之旅。首要之務是加滿油，因為這一趟不僅要逆時針環遊整個臺灣，還要外加很多來回折返的路途……

「柯老師，要……來一點嗎？」

吉娃娃打開放在她大腿上的塑膠袋，裡面是她的早午餐，裝有蛋餅、三明治、香雞排、滷味與奶茶等。

「我吃過了，謝謝。」

此話不假。出門前，我餵森永結衣進食時，也為自己煮了一碗麵。

由於成天躺著不動，吃飽了就睡、睡飽了就吃，綽號「小佐佐木希」的她臉頰愈來愈豐腴，直追本尊……

照這樣下去，她綽號裡的「小」字很快就可以被揚棄了。隨著我方向盤一轉，車頭彎進了離學校最近的一家加油站內。

為了省錢，我強忍汽油味下車自助加油。待我結完帳上車時，吉娃娃已經將她大腿上的塑膠袋一掃而空。

食量好得嚇人。酒足飯飽後，她轉動車上音響的旋鈕，說：

「來聽點……音樂吧。」

天不從人願。流瀉在車內的，只有從車窗縫漏進來的馬路噪音與風聲。

「不能聽……MP3嗎？」她將臉埋在音響面板前端詳：「CD？或是……聽聽廣播也行。」

別鬧了。我指著面板上的一條長方形區域說：

「妳說的都沒有，只有這個。」

吉娃娃將雙眉皺成個「八」字：

「這是……什麼？」

「錄音帶的卡匣。」

「錄音帶？什麼是錄音帶？是用來……綁錄音筆的帶子嗎？」

「嗯……不太一樣……」

吉娃娃拿出手機，說：

「還是……來個藍芽配對，用車上的喇叭播放YouTube上的音樂？」

「藍芽配對？」

我苦笑不止。要不妳換搭另一臺車，就別再為難我了？

尷尬間，車子上了三號高速公路。在還算適中的車流量裡，車速皆能持穩在每小時一百公里上下。

「這臺車是七年前我博士畢業起，我爸爸體恤我四處兼課的辛苦而讓給我開的。」我坦誠佈公道：

「在我接手之前，他已經開了十五年啦。」

吉娃娃咋了咋舌：

「七加十五就是……二十二。哇，二十二！這臺車的車齡……比我還老啊？」

「所以妳就別苛求它老人家要生出什麼藍芽配對與MP3了。」

稱是後，吉娃娃滑起手機，問我道：

「柯老師在我們系上教書教得好好地，幹麼還要去別的學校兼課啊？」

「因為，我是行銷管理與流通學系的兼任教師，不是專任教師。」

「專任教師？兼任教師？差在哪裡啊？」

在吉娃娃眼中，老師就是老師；論及什麼專任還是兼任時，大多「傻傻分不清楚」。

尋找結衣同學 II

絕望的歸途

胡杰・著

迷子燒・繪

「專任教師名列學校的正式編制內，有專屬的研究室，領月薪、享福利；而兼任教師什麼好康都沒有，領的也只是微薄的鐘點費……」

「好像……很淒涼說……」

「妳沒看我穿得破，開的車也破嗎？」

「I see。為了糊口，柯老師……只好在很多學校兼課。」

「以前是。但這幾年，我已經沒有四處兼課了。」

「為何咧？」

這一問，踩到了我的痛處。

「因為……人家就沒有再續聘我了。」

大環境千變萬化，即使是大學的專任教師都不見得很有保障了，遑論是有一餐沒一餐的兼任教師？

我從在五個學校兼課，節節敗退到現在的一個。

「只有我們行銷系一直對柯老師伸出溫暖的手？」

「是。」

這「溫暖的手」，還是我分分秒秒為李勇良學長賣命換來的。如果這次森永結衣的事被我搞砸，我可就再也握不到這「溫暖的手」啦。

慘的是，即使誘拐與性侵的記憶闕如，但是將森永結衣囚禁起來的我覆水難收，已經把事情給搞砸了！

我欲哭無淚的臉，逃過了吉娃娃繼續盯視手機的眼。

「我來留言……給我一個遠房堂姊。她的爺爺，是我爺爺的弟弟……」

「幹麼要留言給她？」

「她大學是唸日文系的，又是一家出版社的……特約日文譯者。我想請她去挖掘一下……森永結衣同學在日本時的底細，多少會有助於案情。」

「有需要做到這樣嗎？」

吉娃娃自顧自地說：

「柯老師這邊……有那天管理學院交換生迎新晚會的全部出席者名單嗎？」

「有的。管理學院的院秘書在寄送迎新晚會電子邀請函的時候，把名單加進了附件裡。」

「……可以寄給我嗎？」

「可以。」

我能說不嗎？只好一手操控方向盤、一手操控手機。吉娃娃收到名單後，又用她頎長的食指在手機螢幕上滑個不停。

「在幹麼？」

「發私訊……給那些出席者，問他們答不答得出森永結衣同學在迎新晚會上……的一舉一動。」

「妳這樣不就是昭告天下說，森永結衣同學出狀況了嗎？」

「柯老師，我會問得……很有技巧，不會讓他們做此聯想的。」

「怎麼個有技巧法？」

「噓……我要打字了……」

2

我們在整條三號高速公路上佔地最遼闊的清水服務區稍事歇息，上上洗手間。

週休二日前夕，在下午兩點的服務區飲食店家前無分男女，從幼年、青年、壯年到老年的排隊人潮，將橫向的動線擠得水洩不通。

怪哉。這些無業遊民既不用上班，也不用上課的嗎？

我們買了兩杯冬瓜檸檬後上車。車子向南開到霧峰系統交流道，再駛入晚近通車的六號高速公路。

六號高速公路就像一支長矛，筆直地刺穿沿途種滿檳榔樹的群山峻嶺。

吉娃娃嘟著嘴快速吸光她那杯冬瓜檸檬，把空杯子扔進她腳邊的空塑膠袋後，便直白地問道：

「柯老師，管理學院……交換生迎新晚會的出席者名單中，為什麼……會有張奎龍教授的名字啊？」

問得好。

「張奎龍教授與姚院長從還在國立大學任教的時候，兩個人就是舊識，不，已經到了哥倆兒好的地步。所以管理學院的活動，姚院長都會請張奎龍教授共襄盛舉……」

對象是學生，因此我盡可能說得不那麼露骨。然而，天資聰穎的吉娃娃心領神會道：

「我知道。凡是……管理學院有免費的霸王餐活動時，都少不了張奎龍教授吧？」

「吉靜如同學，這是妳說的，我可沒說喔。」

「我說的就我說的，無所謂。」她聳聳肩：「他在我們系上……的風評，早就差到不能再差了。」

「是嗎？」

英雄所見略同，不是只有我討厭他而已。

「首先，他的髮型……就令人倒胃口。」

張奎龍教授的頭髮直禿到腦後，但他不像同髮型的港漫主角「老夫子」一樣戴頂瓜皮帽，而是將某一側的頭髮留長幾撮，然後把那幾撮長髮披在寸草不生的頭頂上。

風一強，那幾撮長髮被吹彎，彷彿就是運動品牌「Nike」的商標。此一封號在學生之間，也就不脛而走。

「其次，他上課超混。一個學期有一半的課……他都藉故不來，指使研究生來教室放影片了事；另一半的課……他最多可以給我們遲到一小時、早退半小時，上課時……也全在聊天、打屁……」

遲到一小時？比李勇良學長還扯。

「而且他……完全是一個色胚的概念！完全！」吉娃娃也順應了新近這股風潮，用「是一個……的概念」這種不倫不類的語法造句：「他會不會對女生……言語性騷擾？會！會不會……講葷笑話？會！會不會……動手動腳？都會！」

「他不怕妳們反映在他的教學回饋系統上？不怕妳們寫信去教育部告狀？或是惡行被妳們用手機錄下來，向數字週刊或水果日報檢舉？」

嗯，我似乎說太多了……

「他好像……沒在怕的。」

爽領雙薪的他就算被校方解聘，還有國立大學教職的退休金可花，以及我每個月繳交的房租可收，這可能就是他有恃無恐的原因。

「在評我們學生的學期成績時，他更是只奉行……一個原則。」
「什麼原則？」
「性別歧視。」
「是嗎？」
我忍俊不住。
「我們女生還好，是這項原則的……受益者。那些男生就慘了，被他亂當一氣。」
「那大家不要修他的課就好了。」
我還是說太多了。
「最好是。柯老師，他有開……兩門必修課耶，有一門「創新管理」……還開在大四咧！聽說……這門課五年來，只有『兩個』男生及格過！搞得這學期四年級的學長各個皮皮剉……」
「皮皮剉喔……」
就在吉娃娃的危言聳聽中，車子來到了六號高速公路的終點。
又在平面道路上繞行了半小時後，背山面湖的「三分之一島」酒店，便聳立在車子的擋風玻璃前。
「好雄偉的建築啊……」
吉娃娃做出將臉夾在兩個向前的掌心中間的天真表情，出言讚嘆道。

3

「三分之一島」酒店的外部，是由二十層像橫放的ㄇ字建築與二十層像巨型紀念碑的瘦長建築所組成。

「就如同……『山寨版』的香港半島酒店。」吉娃娃對照著她手機上的半島酒店圖片：「怪不得被取了個『三分之一島』……這樣類似的名字。」

將車在酒店的地下停車場停妥後，我們背著各自的行李坐電梯上樓。一樓戶外的噴水池旁停了好幾臺車身寫有簡體字的遊覽車，一團團的陸客以及他們洪亮的聲息，就這麼從車上鼎沸至酒店的接待大廳。

接待大廳的前檯服務人員把我們兩人的身分證都收去查驗、登記並返還後，微笑道：

「兩位的房間是二二三七與二二三八。」

「三八啊？」我說：「不能換別的數字嗎？咦……」

什麼？吉娃娃訂的是兩間房？

那麼有戒心？我蜜月的一頭熱，因而減了大半。

「抱歉，目前酒店的房間比較滿一點。如果有空房，會第一時間讓兩位做替換……」

「如果有空房？那就是不會有了……」

衣著光鮮亮麗的前檯服務人員裝作沒聽見。她雙掌捧著兩張磁卡，口齒清晰地向我們解說：

「兩位的退房時間是明天中午十二點正。房內桌上的水果與礦泉水都是免費的，冰箱裡的飲料也是免費的……」

「冰箱裡的也是？」這倒很罕見：「那就可以喝到爽啦，不錯不錯。不過，如果我們改訂一間雙人房，房價是不是便宜得多？」

「嗯……這要視房型而定。而且，我們現場是沒有辦法讓客人改訂的，請包涵。」

前檯服務人員面部的線條僵硬了起來。

「都不能通融喔？好吧……」
這時，吉娃娃插口道：
「我媽媽都說，以後當我老公的人……很可憐很可憐，柯老師知道為什麼嗎？」
「為什麼？」
「因為我的鼾聲……超級大，枕邊人想……睡個好覺，難喔！」她情真意切，不像是在唬弄我的樣子：「所以啊，我訂兩間房，是為了柯老師好。」
好吧，起碼是住在隔壁房，夜裡還是有「操作」的空間。
「是的。」前檯服務人員這也不曉得是在接我的話，還是接吉娃娃的話：「如果還有問題的話，把房內的電話筒拿起來按『九』就可以了。」
「按『九』，就有人接嗎？」
「『九』是房務部的分機……」
「我是問按下『九』後，就會有人來接聽嗎？」前檯服務人員不懂我的意思，讓我有點惱怒：「會不會響半天都沒人接，『九』按了也是白按呢？這時候該按幾呢？」
「這……房務部有專人接聽……」
前檯服務人員牛頭不對馬嘴。還想追究下去的我，被吉娃娃半推半拉而去。
「柯老師，走啦……走啦……」
應該不是我眼花吧？
就在光亮的牆面倒影中，映現出那位前檯服務人員一閃而過的鬼臉。

電梯直上二十二樓。

吉娃娃將二二三七房承讓給我後，她自己進了二二三八房。

二二三七房的面積不大。麻雀雖小，該有的衣櫃、保險櫃、冰箱、電視、桌椅、沙發、床鋪、床頭櫃五臟俱全；乾濕分離的浴室內，緊鄰淋浴間的是橫躺一個人也綽綽有餘的浴缸。

二二三八房的格局也是半斤八兩吧。剛在床上放下我的旅行背包，吉娃娃就過來按門鈴。

「柯老師，現在……才下午四點，我們去坐環湖纜車吧！」

「坐纜車？我長途駕駛累到翻，正要躺一下說……」

「別這樣嘛，柯老師，這邊的環湖纜車……人氣滿點，是遠近馳名的呢。」

扨不過這小女生。

我們又下樓驅車半小時，前往中臺灣的天然湖勝地。

「纜車全線……長近兩千公尺，設有十六根支柱，兩端……連結著湖與樂園。如果……選湖端為起站，就是以樂園為終站；如果選樂園為起站，就是……以湖端為終站。或是買來回票，起站即是終站、終站即是起站……」吉娃娃誦唸著手機網頁中的資料：「我讀小學的時候……曾經來坐過一次呢，好懷念啊。柯老師有坐過嗎？」

「沒有。」

我哪有那個閒工夫啊？

我們選了湖端為起站。吉娃娃用我兼課賺來的血汗錢，大手筆買了來回票。

湖端站在數十級，不，可能有數百級階梯之上。缺乏運動的我走沒幾階就氣喘如牛；為了等我，吉娃娃去站內的商家掃貨，買了大包零食與飲料。

太陽還沒西沉，這就已經是她今天的第三杯手搖飲料了，真是樂此不疲啊。

我們在湖端站排了二十分鐘的隊，站得我腳都快斷了。羨煞著玩手遊玩到不亦樂乎的吉娃娃、再瞪視排在前面的人龍時，我又在心裡OS道：

「怪哉，你們這些無業遊民既不用上班，也不用上課的嗎？」

終於到我們啦。

站臺上的站務人員將我們引導至一臺天藍色的空車廂時，吉娃娃對他搖搖頭，嗲道：

「這臺沒有泰迪熊。可以……坐有泰迪熊的車廂嗎？」

站務人員一看就是來打工的男大學生，所以吃她這一套。

他赧笑後，示意我們在一旁稍候，然後看準了三、四臺車廂過去後的一臺金色車廂，引導我們進去。

「哇……泰迪熊！！」

我以為是可以抓在手上的那種，結果是像一百七十公分的真人那麼高大的填充玩偶。黃色的它睜開無辜的雙眼，身披桃紅色的短背心端坐在車廂內。

「大部分的車廂裡是沒有牠的，而且牠背心的顏色跟我的帽T……是姊妹裝呢。這麼冷，不怕感冒嗎？哈啾哈啾！」

與泰迪熊坐同一邊的吉娃娃喋喋不休。再下來我的工作就是接過她的手機，替「熊抱」著泰迪熊的她拍照。

一張又一張、一張又一張、一張又一張……

愈看著那隻手機螢幕中的填充玩偶，我就愈是嫉妒。

唉，當人幹什麼呢？還是來當隻泰迪熊吧。

從一成不變而令人乏味的學校教室來到這湖光山色的美景，而且和我「哈」得要死，不，「心儀」的女學生吉娃娃兩人「依偎」，不，「對坐」在這高空車廂中的密閉空間裡。

然而她與泰迪熊合照完後，就兀自吃零食滑著手機冷落我。

誰沒有手機啊？好，妳滑，我也滑……

再怎麼滑，還是擺脫不了李勇良學長的束縛，可悲地滑到了學校的網站，用他給的帳號與密碼登入，點出余紹恩這小屁孩歷年的成績記錄來看。

行銷管理與流通學系的學生畢業學分為一百三十個。除了英文、通識、服務學習、體育等共同科目外，系上的必修課佔了三十個學分；選修課則佔了八十個學分。

在三十個必修學分裡，余紹恩已經修了二十六個學分，只有六個及格、二十個不及格，及格率低至百分之二十三。

他還沒修完的四個必修學分，就是大四兩個學期的「創新管理」課。

系上的《學生修業辦法》規定，只要不及格的必修學分超過二十個，超過的部分就不能暑修，而須在學期中重修。換言之，只要他這學期，也就是四上的「創新管理」課被張奎龍教授當掉，就註定要多唸一年大五。

延畢一度是大學生逃避社會的溫床。但學費一年比一年調漲後，死賴在學校已經沒有那麼吃香了……

他能過得了張奎龍教授那一關嗎？依我之見，機率比連中兩期大樂透頭獎還低。

「柯老師知道……這環湖纜車曾出過人命嗎？」吉娃娃雙眸不離手機地問我道。

正愁跟她無話可聊的我見獵心喜：

「出過人命？不知道耶……」

「是去年的事。死者……也是大學老師喔！」

「也是？」

她是在詛咒我嗎？

「我看一看……他叫做顏運昌，任教於國立豐原教育大學的企業管理學系。」

「國立豐原教育大學？那不是從這邊翻個山頭就到的在地學府嗎？」

「是啊。去年的十一月五日……也是十一月耶！下午三點半。就在全國各地的銀行紛紛拉下鐵門的時候，纜車站的站務人員發現了顏運昌教授倒臥在某臺車廂中的屍體。」

「站務人員發現時，那臺車廂中只有顏運昌教授一個人嗎？」

「只有……他一個人。眾目睽睽，現場還有……監視器，作不了假。」

「他會不會是自殺的呢？」

「柯老師，有哪個自殺的人……可以持利器朝自己的頸部連刺十幾記的？」

「十幾記？那麼狠？所以，兇手就這麼從車廂中憑空逃逸了？」

「很神吧？」吉娃娃假仙假怪地尖起嗓子：「柯老師，我們這臺車廂，說不定就是去年顏運昌教授坐的那臺……柯老師屁股下面的座位，說不定就是他倒臥的地方……」

「呸呸呸！他要倒也是倒妳那邊，要死也是死妳那邊好不好？」

「嘻嘻……更駭人聽聞的是，一個月後，發現屍體的那位站務人員……就從站臺跳崖自殺了。大家都說，是顏運昌教授的鬼魂在作祟……」

我猛起雞皮疙瘩。

「吉靜如同學，我可以下車了嗎？」

「從這裡下車？」吉娃娃的雙眸由手機螢幕前移向車窗：「這裡是……七、八百多公尺的高空耶！柯老師是要去陪那位……站務人員嗎？」

「當我沒說……」

「那柯老師……就乖乖地在顏運昌教授的陳屍處坐好吧。」

「呸呸呸！呸呸呸！」

顏運昌、顏運昌……

企業管理與行銷管理兩個學科本有共通之處。所以，我並不是第一次聽到他的名字。雖然緣慳一面，但我在國內碩士班就讀時唸過他寫的教科書；在博士論文的章節中，我也引用過他用英文寫的研究文獻。

宅到他都往生了才後知後覺的我，上網起了一下他的底……

他是美國伊利諾大學企業管理博士，研究領域是國際企業管理、電子商務與休閒產業管理，死前最後的職稱是國立豐原教育大學企業管理學系的「特聘」教授。

不單是教授，而且是特聘教授。

特聘教授是從教育部「發展國際一流大學及頂尖研究中心計畫」的經費中支薪，為獎勵優秀的學術研究人才而設置。點出他的研究成果來看，從前身的國科會到升格後的科技部，二十年來官方補助的專題研究計畫他年年都有份：執行期間自一年期逐步躍升至多年期；執行經費都是從百萬元起跳。

在產學合作的研究計畫部分更是誇張。每一年，他平均手上有十個以上的這類計畫在run。我的媽呀！在如此龐大的研究能量支撐下，他發表了上百篇的期刊論文。當中一半以上的期刊，被收錄在ＳＳＣＩ與ＴＳＳＣＩ之內……

「什麼是……ＳＳＣＩ啊？」

「是social science citation index的縮寫，中文翻譯是『社會科學引文索引』，係按照文章被引用的程度而具影響力的社會科學類國際學術期刊。」

吉娃娃似懂非懂地問：

「那麼ＴＳＳＣＩ……就是在ＳＳＣＩ前面加個Ｔ囉？」

「Ｔ就是Taiwan，ＴＳＳＣＩ就是按照文章被引用的程度而具影響力的社會科學類臺灣學術期刊。」我說：「名列ＳＳＣＩ與ＴＳＳＣＩ的都是些審查機制嚴苛而退稿率高的學術期刊。沒有兩把刷子的人，哪能在上面發表論文啊？」

「柯老師咧？有……發表過嗎？」

「我？」我笑岔了氣：「本人何德何能？當然是沒有啦。」

這一世應該都跟Ｉ級期刊無緣吧。吉娃娃嗑完了一包零食，又開了另一包：

「總結而言，顏運昌就是一個……很會做研究的教授囉？這樣的人也會被殺？」

「世事難料嘛。妳以後長大就會明瞭了！不過，關於這件案子的來龍去脈，妳能不能寄一個『懶人包』給我啊？」

「只要一個嗎？『懶人包』這種東西……我最擅長了！柯老師想要幾個，我就能給幾個！」

「不，一個、一個就好了……」

「別鬧啦，一個懶人包……怎麼夠呢？」

不服輸的吉娃娃拼命滑起手機，硬是寄了三個懶人包來，供我在纜車到樂園的途中打發時間。

4

第一個懶人包是當天的案發經過。

去年的十一月五日，上午九點鐘，二十八歲的陳裕峰準時到環湖纜車的湖端站上班。

身為站務人員，除了站務組的班長、副班長與主控技師三人外，都必須在上車、下車、補票、關出、關入等不同的工作職掌間輪調。當天上午十點開放遊客乘坐纜車時，他被輪調至引導遊客上車的工作，而另一位同事，二十一歲的林秀寧則被輪調至在對面的站臺引導遊客下車的工作。

下午林秀寧向班長請了生理假後，由於人手不足，陳裕峰得在湖端站的兩邊站臺跑來跑去，既要關照選湖端為起站而上車的遊客，也要顧及以湖端為終站而下車的遊客。

如此把一個人當兩個人用的權宜措施，也只有在十一月這種遊客數銳減的初冬淡季，才有可能忙得過來。

以上車為例，排在站臺上的遊客隊伍，始終在不過十五到二十人之譜。

無疑地，當天下探到十度的低溫，也讓陳裕峰的工作負擔減輕不少。即使他引導上車的遊客隔著車廂分散入坐，使每批遊客坐的車廂前後都是空車廂，也不至於遭致什麼怨言。

在湖端站下車的遊客亦零零落落。可想而知，若排除來回票的因素，選樂園為起站而上車的遊客也多不到哪裡去。

空閒的時候，他還能躲進站臺旁的辦公室裡上個網、回個訊息，再重返站臺工作。

下午三點半……

從樂園方向回來的空車廂與空車廂間，有一臺車廂裡有人。

陳裕峰移步至對面站臺，做出引導遊客下車的標準動作。當他打開車門，循例說出「小心您的頭、手與腳步，請勿踩空」時，車廂晃了一晃，坐在裡面的中年男士身子一軟，霍地向車門處倒來。

「……小心啊！」

陳裕峰基於本能向遊客伸出的雙手又縮了回去。因為，倒臥在座位上的中年男士渾身是血，將車內染紅了一大片。

座位、地上與車窗，彷彿浸在血海之中……

陳裕峰倒退了三步，從喉底叫出聲來。

經陳裕峰向上通報後，纜車全線即刻停駛。

警方與鑑識人員趕赴湖端站時，上、下車站臺上的遊客已被疏散一空。鑑識人員用最快的速度對事發的八號車廂拍照，好讓站務人員重啟纜車，將懸在高空多時的其他車廂內的遊客一一接下車。

他們下車時，不少人嘴裡還怪東怪西地碎念著。

等其他車廂都空了，警方與鑑識人員再進入八號車廂內搜證，並從中年男士遺體的皮外套口袋裡找到相關的身分證件。

死者是五十五歲的國立豐原教育大學企業管理學系特聘教授顏運昌。

致命傷在頸部。他的頸部被某種利器刺出了十一處傷口，頸動脈都斷裂了。

警方沒有在車廂內找到任何利器，只在顏運昌教授的口袋裡找到一張在當天下午兩點三十分購買的環湖纜車來回票。

票券上列印的售票地點，正是湖端站。

合理推斷，他下午兩點三十分在湖端站買了來回票後上車，以樂園為中點環湖一圈，再回到湖端站。

「能描述一下死者上車時的情景嗎？」

不抱期望的警方隨口問道。果然，陳裕峰面有難色。

「遊客人來人往，與我們面對面接觸的時間又很短。除非，是什麼辣妹，否則很難對特定遊客留下什麼深刻的印象。」

「所以，死者是隻身還是結伴從湖端站上車的，就不得而知的囉？」警方改問道：「全環湖纜車站共有幾臺車廂？」

「三十臺，從第一號編到第三十號。」

「每臺車廂可以坐幾個人？」

「我們訂購的車廂都是六人座的。」

「今天乘坐纜車的遊客量算多嗎？」

「坦白說，不算。」

「以今天的遊客量，每位遊客要排多久的隊，才能坐到纜車呢？」

陳裕峰偏頭想了想。

「最多排個十分鐘，應該就可以坐到了。」

「那麼，乘坐這纜車環湖一圈，需要花費多少時間呢？」

「單程二十分鐘。來回的話乘以二，就是四十分鐘。」

「知道了。站臺上設有監視器嗎？」

「在湖端站與樂園站的上、下車站臺處，都各裝設有一部監視器。」

警方詢問樂園站的兩位站務人員對死者的印象，答案也與陳裕峰說的如出一轍。

「好像，沒有看過耶……」

現場遊客的證詞也無甚參考價值。在人群中，大家會對俊男美女、小朋友或寵物多看幾眼，但像顏運昌教授這樣貌不驚人的中年男士，可說是存在感最低的族群。只有一位和爸媽出遊的五歲小妹妹童言童語地對警方說，自己在排隊上車時，前面那位阿伯的臉兇巴巴地。

「比、我們幼稚園的園長，還要兇……」

警方問她：

「妳怕不怕？」

「怕。」

「好，妹妹妳看看，是哪位阿伯呢？」

警方把顏運昌教授的大頭照夾雜在不相干者的照片裡。只見小女童前一秒鐘指東、後一秒鐘指西，把所有的照片都給指過一遍了。

5

第二個懶人包是警方在案發後的調查過程。

案發當天，顏運昌教授和往常一樣於早上八點鐘到校。沒課的他先在自己的研究室內待了一小時，然後到他任主任的休閒產業管理研究中心走動巡視至中午。

警方從他的座車裡尋獲行車記錄器的記憶卡。下午一點五十五分，他從校園內的停車格開車，兩點二十三分，車子停在湖端站的停車場內。他應該是在學校用完午餐後，便前去環湖纜車站了。

警方調閱了環湖纜車站的四部監視器畫面。第一部監視器裝設在湖端站的上車站臺上方，於下午兩點四十分，拍到了顏運昌教授的身影。

他從畫面的左下方入鏡，上身穿棕色的皮外套、下身穿鐵灰色的西裝褲與黑皮鞋，與五十分鐘後他死亡時的裝束雷同。

監視器也拍到了他板著的臉。

排在他身後的，就是那位不擅認人的五歲小妹妹以及她的雙親。小妹妹手上拿著一只綠色的水壺，時不時向前推擠，而招致白眼相待。

此外，在十分鐘的排隊時間裡，顏運昌教授大都是將雙臂交抱在胸前，定定地正視前方，間或取出手機滑個兩三下。即使經由影像，也能感受出他的不怒而威。

這類高高在上而姿態拒人於千里之外的人警方並不少見。兩點五十分，顏運昌教授排到了隊伍的最前面，被站臺上的陳裕峰引導進入金色的八號車廂。

當時，畫面中八號車廂前面的五號車廂沒人、六號車廂有人、七號車廂沒人……

「為什麼不讓他坐七號車廂呢？」

警方這樣問陳裕峰時，陳裕峰的回覆聽來也合情合理：

「坐鬆一點，較能投遊客所好。」他說：「通常遊客數不多的時候，我們就會這麼調配。」

第二部監視器裝設在湖端站的下車站臺上方，於下午三點三十分拍到了站臺上的陳裕峰在打開八號車廂的車門引導遊客下車時，顏運昌教授倒臥在車廂座位上的身影。

警方聚精會神看。那時八號車廂內，的的確確只有顏運昌教授一個人在。

陳裕峰倒退了三步，從畫面右下方出鏡。十秒鐘後，八號車廂也從右下方出了鏡。無人乘坐的九號車廂從左下方入鏡後，旋而靜止不動。

這是纜車經陳裕峰向上通報後停駛的結果。停駛時的八號車廂，並沒有被監視器所拍到。

第三部與第四部監視器裝設在樂園站的下車與上車站臺上方。這兩部監視器從當天上午十點到下午三點三十分拍到的遊客上下車的畫面，冗長、單調而無趣得讓警方呵欠連連。

唯一的收穫是：兩部監視器都在三點十分這一分鐘內，先後拍到了在八號車廂內的顏運昌教授。

車廂內就他一個人，而且還是活生生的。因為第三部監視器拍到下車站臺上的站務人員打開八號車廂的車門時，顏運昌教授對站務人員甩動手上的來回票時的臭臉。

第四部監視器則拍到他面露不耐地張望著車窗外的上車站臺，那樣子就像是、就像是……

「在等人卻被放鴿子似地。」

有位資深的刑警影射道。

從兩點五十分到三點三十分……

在顏運昌教授乘坐纜車的這四十分鐘裡，四部監視器所拍到的八號車廂畫面中，車廂內都沒有第二個人在。

兩點五十分，他一個人在湖端站坐進八號車廂；三點十分，八號車廂來到樂園站時，他既沒有下車，樂園站也沒有別人坐進八號車廂。

三點三十分，八號車廂回到湖端站，車廂內的他卻已氣絕身亡。

每臺車廂內都有兩排對坐的座位，座位下方都是實心的，藏不了人。因此，警方轉而尋求兇手是在纜車於湖端與樂園兩站間行進時，上下八號車廂的可能性。

對此，環湖纜車站務組的班長兩邊嘴形向下，斬釘截鐵地否決道：

「纜車行進時，車廂被吊在七、八百公尺的高空中，上面是藍天、下面是湖，湖端與樂園兩站間又沒有第三站……」

因此，殺害顏運昌教授的兇手就這樣來無影、去無蹤地遁於無形了。

6

第三個懶人包是本案相關人等的人際網絡。

顏運昌教授的核心家庭成員簡單到不能再簡單，因為他與任職臺中市政府的簡任公務員太太結婚二十五年育有的二十歲獨子從小就被送去美國當小留學生，現在在賓州大學的商學院就讀，所以在學校配給的教授宿舍中，僅住有夫妻二人。

顏運昌教授暴斃後，最悲痛的人是他的太太；而最開心的人，莫屬與他同校的公共事務管理學系的蔡阿榮教授了。

顏、蔡這兩個人為了角逐下一屆的管理學院院長寶座，幾個月來雙方人馬在檯面下的小動作運作來運作去地，全院因而烏煙瘴氣。教師們無分年資深淺、職級高低，不選個邊站都不行。

對蔡阿榮教授來說，如今心腹大患已除，只要橫裡沒再殺出個什麼程咬金來，同額競選的他就可以高枕無憂啦。

不過他在被約談時，還是老奸巨滑地對警方演了一齣戲。

戚容滿面外，「顏運昌教授的死，是我們國立豐原教育大學企業管理學系、管理學院乃至於整個學校的損失，我個人深感十二萬分哀痛」這種鬼話，他也能講得臉不紅、氣不喘地。

然而，他此話違心與否，遠不如案發時他的不在場證明更教警方關切。

「十一月五日下午嗎？我的行程如下：十二點開系務會議、一點開系課程委員會議、兩點到四點我在上課。顏運昌教授的屍體是在三點半被發現的嗎？再說一次，兩點到四點我在上課，可沒閒工夫溜去坐什麼環湖纜車。教室內的全體同學，都可以為我作證喔……

「什麼？顏運昌教授在學校有沒有樹敵？你們也知道，自古文人相輕，看不順眼他作風的同仁也不能說沒有啦……什麼作風喔？比方說像是，他向學校申請設立了一個休閒產業管理研究中心，然後以中心的名義向外爭取產學合作計畫，突破單一教師在單一年度內主持研究計畫數的上限，每個月可以領到十幾個計畫的主持人費用。如果你們有位同事一個月拿的外快夯不郎當比你們半年或一年拿的薪水都還多，你們會睜一隻眼、閉一隻眼嗎？不不不，我只是就事論事，沒有在道死者的長短喔……」

話雖這麼說，但是……

與顏運昌教授再不對盤的同校教師，當天下午案發時的不在場證明也都很明確。他們不是在上課，就是在開會、參加研討會與校內的教育訓練活動、聽各種演講等等。

「我們大學教師才沒外界想得那麼悠閒呢！」

有位也被約談的同校助理教授向警方大小聲道。

在同儕間樹大招風的顏運昌教授，與學生相處起來也不是很和睦。

休閒產業管理研究中心在國立豐原教育大學裡向有「血汗學術工廠」之稱。在該中心當研究助理，就要有「工作量一個人抵四、五個人」而「薪資四、五個人抵一個人」的覺悟。

工作條件這麼惡劣，如何能吸引並留住人才？顏運昌教授的做法是：只要是找他指導論文的研究生，就是該中心當然的研究助理人選，沒有說「不」的權利。

顏運昌教授並將研究生的修業時間與其在該中心的工作績效掛勾：工作績效愈佳的研究生，留在學校的修業時間就愈短；工作績效愈差的研究生，留在學校的修業時間就愈長。

研究生為了能早點畢業，莫不使出渾身解數，將每一項被交辦的研究計畫執行得盡善盡美。不過，如果工作績效好過頭，也會有顏運昌教授捨不得放其自由的反效果。

現職為臺北快遞公司總管理處組長的劉冠治的案例就是如此。如果加上中間技術性的休學兩年，他前後在國立豐原教育大學企業管理學系碩士班待了六年，才脫離苦海。

「我最不能忍受的是，六年來我所有的研究成果都被顏運昌教授剽竊，冠上他自己的名字後，投稿並刊登在SSCI或TSSCI的學術期刊上。」他對警方說：「世人都以為他多麼會做研究，其實都是我們這些學生的心血。」

「他刊登在一流學術期刊上的論文，每一篇都不是出自他手嗎？」

「每一篇的每一句、每一字，都不是出自他手！」

「你『幹』他嗎？」

「『幹』！怎麼不『幹』？換作是你們，你們『幹』不『幹』？」

「和你一樣，在休閒產業管理研究中心的研究成果被指導教授顏運昌剽竊的研究生，還有多少人？」

「『族繁不及備載』……」

警方將休閒產業管理研究中心歷來的研究計畫成果報告與顏運昌教授發表過的論文以專門的「論文剽竊檢測軟體」檢測後，從報告封面的研究助理名字中篩選出二十二位被顏運昌教授剽竊研究成果的人。這二十二人中有些人已經畢業多年；有些人則還在就學中。

逐一清查後，他們之中有三個人的不在場證明是薄弱的：卓佑旻、陶百祥，以及最先被警方約談的劉冠治。

7

「柯老師，到樂園站囉！」

吉娃娃輕拍我的上臂，纜車車廂內的我才大夢初醒，從手機螢幕前抬起頭來。

車門被樂園站下車站臺上的男性站務人員「砰」地重重打開。沒有購買來回票的遊客，此時就得按規定下車。

我忙出示手上的來回票，做出和顏運昌教授去年死亡那天下午三點十分時同樣的動作，站務人員才又「砰」地重重關上車門。

「柯老師，還沒讀完嗎？」

「還沒讀完……」

重獲清幽後，我嘆了口氣，繼續追讀手機裡那內容龐雜、一點也不「懶人」的懶人包。

卓佑旻，二十六歲，國立豐原教育大學企業管理學系碩士班四年級，兼職在臺中市當房仲業務。他向警方供稱，顏運昌死亡當天的中午十二點三十分，他向公司請了假，第二天早上才回去上班。

「當天離開公司後，你去了哪裡？」

「……回家。」

「回家？你家在哪裡？」

「臺中市北屯區東山路……」

「你在家裡做什麼？」

「什麼也沒做。」

「怎麼可能？」

「是真的。我就在家裡發呆、補眠而已，什麼也沒做。」

「既然沒事，為什麼要向公司請假？」

「應該說是……職業倦怠吧。長期下來的工作壓力，教人又累又煩。那天上午起，我就已經喪失繼續上班的動力了……」

「你是跟家人同住嗎？」

「不是，我自己租房子住。」

「所以那不是你家，而是你的住處？有室友嗎？」

「有兩位，都是男的。」

「當天下午，他們在家嗎？」

「不在，都出去上班了。」

「所以沒有人能為你作證？」

「刑警先生，現在的我每天念茲在茲的只有三件事：第一，成交；第二，成交；第三，還是成交。那些埋首學術而做研究、寫論文的日子，早就被我埋葬在心底了。」

說是這麼說，但從臺中到南投，地緣上中午十二點半向公司請假的他是有可能去環湖纜車站犯案的。

卓佑旻的碩士班學弟，二十五歲的碩二生陶百祥則供稱當天下午他窩在宿舍裡閉門寫報告。

「我這學期修了三門科目，所以有三份報告要趕。」

「是什麼樣的報告？能不能說得具體點？」

「每門科目的老師都開了很多本原文書單給我們。報告的架構包括這些原文書的中文翻譯、摘要，以及解答老師出的個案題。」

「報告很難寫嗎？」

「很難，不然你們自己來寫看看。光是翻譯就要查生字查個半天；摘要的話，得閱讀全文後才濃縮得出來；個案題往往沒有標準答案，教人無所適從。」

「你這三份報告寫了多久呢？」

「從早上十點寫到晚上六點。累都累翻了，我最好是還有體力跑去殺顏老師。」

儘管他言之鑿鑿，但與卓佑旻一樣沒有人證。

至於劉冠治是三人中最可疑的。因為家住臺北的他，當天下午一點有在湖畔一間飯店登記住房的記錄。

「我是帶女友去中部渡假的，純屬巧合！純屬巧合！」

更可疑的是，他的女友預約了當天飯店裡從兩點到四點的單人精油按摩療程，所以在這放鬆紓壓的兩個小時裡，女友無法證實他確有安安份份地待在房內，而沒有潛入半小時車程外的環湖纜車站行兇。

「你們可以調飯店大廳、電梯與停車場的監視器來看。」

「每部監視器都有死角。就算你沒有被拍到，也未必能還你清白。」

「我要殺人，還帶個累贅女友下中部幹麼？」

「常見的用處，是製造不在場證明。」

「喂！你們這樣控訴，不就是未審先判了嗎？」

「我們只是說你有嫌疑，可沒說你就是兇手喔。」

附記：卓佑旻、陶百祥與劉冠治這三個人既沒有被環湖纜車站的監視器拍到，也沒有在案發現場遺留任何毛髮或血液等微物證據。

8

讀完這三個懶人包後，我的心中湧起幾點疑惑。

「第一，當天下午，顏運昌堂堂一個大學教授，為什麼會一個人前往環湖纜車站，並孤伶伶地坐在車廂裡呢？」

我問吉娃娃，也問我自己。

吉娃娃伸手將我的手機滑到第二個懶人包中的某一行，指給我看：

第四部監視器則拍到他面露不耐地張望著車窗外的上車站臺，那樣子就像是、就像是……

「在等人卻被放鴿子似地。」

「所以，顏運昌教授是被人約去環湖纜車站的？」

「這種推測……應該是合乎常理的吧？柯老師。」

「那麼，約他出來的人是誰？」

「這個嘛……」

這一點，顏運昌的太太一無所知，警方從他手機的通聯記錄與對話內容中也查不出個端倪來。約他的人顯然居心叵測，沒給抓到小辮子。

「第二，兇手是如何上下八號車廂內行兇的？吉靜如同學，妳的手機可以手寫繪圖嗎？」

「可以啊。要是不能……還叫手機嗎？」

於是我借了吉娃娃的手機，畫出環湖纜車站的簡圖。

橢圓形的線條是纜線，為三十臺車廂行進的軌跡；被纜線包圍的範圍是湖，湖面與纜線、車廂隔著七、八百公尺高的間距。

湖的東、西分設有湖端與樂園兩站。兩站的一邊是上車站臺，另一邊是下車站臺。以順時針的軌跡而言，如果從湖端站買單程票自上車站臺上車，就可以直抵樂園站的下車站臺後下車；如果像顏運昌教授或我們這樣從湖端站買來回票自上車站臺上車，就會依序繞行樂園站的下車站臺、上車站臺，再回到湖端站的下車站臺下車。

如果從樂園站買單程票自上車站臺上車，就可以直抵湖端站的下車站臺後下車；如果從樂園站買來回票自上車站臺上車，就會依序繞行湖端站的下車站臺、上車站臺，再回到樂園站的下車站臺下車。

「案發當天，顏運昌教授從湖端站買了來回票，排了十分鐘的隊，兩點五十分自上車站臺上車，二十分鐘的單程車程後的三點十分依序繞行樂園站的下車站臺、上車站臺，二十分鐘的單程車程後的三點三十分再回到湖端站的下車站臺。就車程時間來看，並無懸念。」

「柯老師，樂園站的兩部監視器在三點十分時……都有拍到活生生的顏運昌教授，所以顏運昌教授應該是在……從樂園站到湖端站的回程裡被殺的，對吧？」

「對的。兇手，只可能在三點十分到三點三十分這段時間內行兇。但是……」

「但是什麼？」

「全環湖纜車站只有湖端與樂園這兩站，而這兩站的四部監視器從兩點五十分到三點三十分所拍到的畫面中，八號車廂內都沒有顏運昌教授之外的人在。兇手是什麼時候、從哪裡上的車？又是什麼時候、從哪裡下的車呢？百思不得其解……」

「百思不得其解啊……」

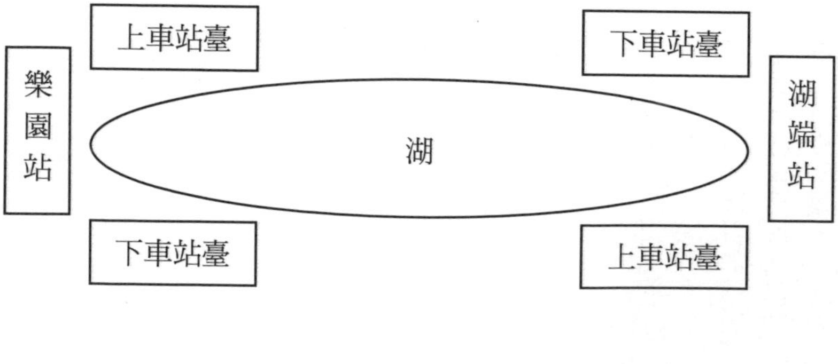

「第三，卓佑旻、陶百祥與劉冠治這三個人，妳認為誰最有嫌疑？」

趁著吉娃娃在「消滅」最後一包零食的空檔，我將案發當天顏運昌教授與三名嫌疑人的作息在手機上整理如下。

上午
八點　顏運昌到學校的研究室。
九點　顏運昌到休閒產業管理研究中心。
　　　陳裕峰到環湖纜車的湖端站上班。
十點　陶百祥在宿舍趕報告。

下午
十二點　顏運昌離開休閒產業管理研究中心。
十二點三十分　卓佑旻向公司請假回家。
一點　劉冠治與女友到湖畔飯店。
一點五十五分　顏運昌離開學校。
兩點　劉冠治的女友去做精油按摩的療程。
　　　劉冠治待在飯店的房間裡。
兩點二十三分　顏運昌到環湖纜車的湖端站。
兩點四十分　顏運昌在湖端站的上車站臺上排隊。

兩點五十分　　顏運昌被陳裕峰引導進入八號車廂。
三點十分　　顏運昌坐的八號車廂到樂園站。
三點三十分　　顏運昌坐八號車廂回湖端站時，被陳裕峰發現死亡。
四點　　劉冠治的女友做完精油按摩的療程。
　　劉冠治待在飯店的房間裡。
六點　　陶百祥在宿舍趕完報告。

「是誰最有嫌疑，而在這份作息表上撒了漫天大謊嗎？」眼神掃了一遍我的手機後，吉娃娃說：
「我認為是……劉冠治。」
「何以見得？」
「他的犯案動機……最強，不是嗎？只有他向警方說了顏運昌教授一堆……有的沒的。警方問他『幹』不『幹』顏運昌教授，他也……直言不諱。」
「似乎是這樣。」
吉娃娃雙瞳發光，愈說愈帶勁：
「而且住家與工作地點都在臺北的他，當天……卻特意南下，住進離案發地僅有半小時……車程的湖畔飯店，雖然他說是純屬巧合……」
「未免也巧過頭了吧？是不是？」
「無論是顏運昌教授在兩點五十分……到三點三十分的車程裡，或是兇手在三點十分……到三點三十分的行兇時間裡，劉冠治都沒有堅實的不在場證明，因為與他同行的女朋友一個人去做……精油按摩了。嗯，我肩膀好緊，也好想去做精油按摩喔……」
我把她的最後一句話當耳邊風：
「如果兇手是劉冠治，那又回到第二點了。他是如何上下八號車廂，朝顏運昌教授的頸部連刺十一記的？」
吉娃娃的兩顆眼珠轉呀轉地：
「會不會劉冠治……比顏運昌教授還早進入八號車廂內，守株待兔？」
「懶人包裡不是有寫說不可能了嗎？而且妳睜大眼看看這車廂內，哪有空間藏得下一個人？」
「嘿嘿……」
「在車廂內藏不了人、兇手不可能比顏運昌教授更早進入八號車廂內的前提下，湖端站上車站臺的監視器拍到顏運昌教授一個人進入八號車廂後，樂園站的下車站臺與上車站臺的監視器都沒有拍到有人再進入八號車廂……」
「所以，劉冠治應該是在顏運昌教授……從樂園站回湖端站的這段路途中進入八號車廂行兇的。」
「吉靜如同學，除了上下站時接近過山壁外，這環湖纜車的車廂可是一路上都在湖面上七、八百公尺高的空中移動，劉冠治要從哪裡進入？搭直昇機？還是從湖裡彈射出來？」
「接近過山壁？」吉娃娃靈光乍現，難得講話沒吃螺絲：「我知道了！我知道了！」
「知道什麼？」
「我知道劉冠治是怎麼進入八號車廂的了！從車頂！」
「車頂？」
「劉冠治人就攀在八號車廂的車頂上。當顏運昌教授從樂園站回到湖端站的途中，他就從車頂爬入車廂內殺人，再爬回車頂……」

「妳也太異想天開了吧？吉靜如同學，看看這車窗那麼小，有可能讓一個成年男人爬進爬出的嗎？」

「不，劉冠治不是從車窗，而是從車門進出車廂的！」

「車門……」

我語塞了。假如是車門的話，是有可行性的。不過……

「當纜車車廂的車頂攀著一個劉冠治的時候，真能瞞過所有站務人員與上下車站臺上的遊客眼睛，神不知鬼不覺的嗎？」

「劉冠治只需要在車廂進站與出站時瞞過所有人的眼睛。當車廂進站與出站時，劉冠治就從車頂爬到車門的對邊車體外，就像在地球上的我們永遠看不見月亮的背面一樣……」

我叫著吉娃娃一起從車門對邊的車窗向下看。

「車體外頭，並沒有任何讓人踏腳或支撐的地方呀。就算是成龍來，也無計可施。」

我說。吉娃娃怔了怔：

「成龍是誰？」

「成龍是……一個很能在電影裡的險惡地形上來去自如的人。」現在有比跨越代溝更要緊的事：

「因此，在車體外無處可站的劉冠治只能攀在車頂上。然而，這樣不會被監視器拍到嗎？」

「也許，車頂……就是監視器的死角。」

自己的推理受挫，讓吉娃娃又結巴了起來。

「也許吧，那要實地見證監視器的畫面才能知道。關於行兇的手法，我倒是有一個點子，可以讓劉冠治既不用進入八號車廂，也不用攀在車頂上，就能殺死顏運昌教授。」

「哇，柯老師……終於出招了。」

「劉冠治可以坐在八號車廂前面的七號車廂或是後面的九號車廂裡，然後將利器扔向八號車廂裡的顏運昌教授……」

吉娃娃聽了轉悲為喜，捧腹大笑個沒停。

「哈哈哈，柯老師……這個比我那個車頂的還爛……爛透了……爛爆了，哈哈哈哈……」

這讓我很沒面子：

「吉靜如同學，妳的『行銷個案研討』課是不想過了是不是？」

「喔，沒有、沒有……sorry、sorry、sorry……」吉娃娃雙掌擠臉，想把笑容給擠掉：「可是，柯老師也太天兵了……」

「什麼？還說我天兵？」

「懶人包裡不是有寫說，顏運昌教授是……隔著空車廂坐的嗎？他前面的……七號車廂裡沒有人坐，他後面的……九號車廂裡也沒有人坐啊！」

「那是從湖端站到樂園站的途中。如果有人從樂園站上了七號車廂或九號車廂呢？」

吉娃娃朗聲唸出她手機這段懶人包裡的文字：

> 第二部監視器裝設在湖端站的下車站臺上方，於下午三點三十分拍到了站臺上的陳裕峰在打開八號車廂的車門引導遊客下車時，顏運昌教授倒臥在車廂座位上的身影。
>
> 警方聚精會神看。那時八號車廂內，的的確確只有顏運昌教授一個人在。

陳裕峰倒退了三步，從畫面右下方出鏡。十秒鐘後，八號車廂也從右下方出了鏡。無人乘坐的九號車廂從左下方入鏡後，旋而靜止不動。

「柯老師，當顏運昌教授在八號車廂裡時，全程……九號車廂裡都是沒有人的！」

我不甘示弱：

「那七號車廂呢？懶人包裡沒有寫說七號車廂回到湖端站時是空的啊！」

「假設劉冠治是……三點十分時從樂園站上車而進入七號車廂的好了。柯老師，他要如何那麼精準地……把利器扔進八號車廂內的顏運昌教授的頸部？車廂與車廂的間距，少說也有十幾、二十公尺吧？要知道劉冠治至少至少要命中十一記喔！因為顏運昌教授頸部的……致命傷不止一處，而是十一處喔！」

「這……」

武俠小說家古龍筆下的「小李飛刀」李尋歡就辦得到。

我沒對吉娃娃脫口而出。因為小李飛刀的年代比成龍更早，說了更自討沒趣。

「也許劉冠治是在六號或十號車廂裡……」

「與八號車廂的間距……更遠？那他不是更不可能行兇了？」吉娃娃發起狠來，對做困獸之鬥的我趕盡殺絕：「而且，當顏運昌教授的屍體……被發現時，那些利器都到哪裡去了呢？四部監視器……有沒有拍到站臺上或任何一臺車廂內的劉冠治？也都沒有啊。」

被學生逼到牆角的我只能認栽，顧左右而言他：

「吉靜如同學，顏運昌教授死後的一個月，站務人員陳裕峰從站臺跳崖自殺，又是怎麼一回事？」

吉娃娃劍及履及，丟了則新聞的連結網址到我的手機來。

9

去年的十二月十日，早上七點鐘，陳裕峰的屍體在環湖纜車湖端站所在的山腳下，被早起運動的遊客所發現。

屍身顱內出血而多處骨折。據法醫研判，死亡時間已經有十個鐘頭以上。

陳裕峰的同事林秀寧向警方供稱，自從顏運昌教授死後，陳裕峰似乎就開始被憂鬱症纏身了。

「工作的時候心不在焉、不工作的時候若有所思。跟他講起話來，也是有一搭沒一搭地，就像變了一個人。」

「妳有問他，是什麼事在困擾著他嗎？」

「有啊。他只說是十一月五日的那件命案；再細問下去，他就搖手不語了。」

「是嗎？他是自責？內疚？還是心虛？」

「這我答不上來，你們可能要問他肚子裡的蛔蟲了。」

陳裕峰沒有在交往中的女友，住屏東的父母也不熟知他的近況。在環湖纜車站上班一年多以來，他還不曾回老家過。

由於沒有他殺的證據，陳裕峰的死，便被警方以自殺結案。

這則新聞讓我突發奇想。

陳裕峰會不會才是殺害顏運昌教授的兇手？就因為良心不安，所以毅然自我了斷？此說要成立，必先突顯出顏運昌教授與陳裕峰兩人的利害關係，而這就要靠吉娃娃的肉搜功力了。

「使命必達。」

五分鐘之內，吉娃娃就把陳裕峰在網路上的身家資料搜刮一空。

他從國小到高中的生涯都在屏東東港度過，大學則負笈北上，唸臺北私立科技大學的財金學系。既不是國立豐原教育大學的校友，所學也與企業管理無關。與顏運昌教授沒有師生之緣，似乎削弱了陳裕峰犯案的可能性。

大學畢業並當完兵後，陳裕峰在五花八門的產業與公司間來來往往，做過不下十種以上的工作：環湖纜車站的站務人員是最後的一個，也是他做最久的一個。

無論是履歷或是細眼、塌鼻、厚唇的大頭照片，陳裕峰都是一個再正港不過的年輕臺客。端看他在臉書上與朋友間的私訊，也都是些他那個世代的典型用語。

想要從那些用語中探究他死因的我，卻被他朋友清單中的一個名字攫住目光。

那個名字是「一白示羊」。

一白示羊？這是什麼東東啊？是白羊與黑羊在橋上狹路相逢的伊索寓言嗎？

「伊索寓言？柯老師，要耍老派……也不是這樣喔。」吉娃娃對我打槍：「一白示羊……才不是什麼白羊還是黑羊的暗喻咧。」

「那謎底是？」

「那應該是把兩個國字……拆開之後的暱稱。『一』與『白』合起來，就是……一百、兩百的『百』字。」

「『示』與『羊』合起來是吉祥的『祥』字。因此，『一白示羊』就是『百祥』。百祥、百祥？好一個似曾相識的名字……」

「陶百祥？」

「陶百祥？顏運昌教授的學生、國立豐原教育大學企業管理學系碩士班二年級的陶百祥？」

吉娃娃將陶百祥的個人檔案壓縮後寄給我。我連上「一白示羊」的臉書後，點閱「相簿」來看。與陶百祥個人檔案中戴眼鏡的白淨照片若合符節。而「關於」欄的內容……

工作經歷：國立豐原教育大學休閒產業管理研究中心研究助理

大專院校：國立豐原教育大學企業管理學系碩士班

陶百祥是陳裕峰的臉書朋友……

在個人檔案中，陶百祥從國小、國中、高中、大學到碩士的學校都在中部，年紀又差個陳裕峰三歲。這兩個人是怎麼搭上線的？

從吉娃娃下載到的陳裕峰的電子版大學畢業紀念冊方知，陶百祥的哥哥陶千祥是陳裕峰的大學同班同學。陳裕峰與陶百祥在臉書上結為好友的時間是六年前，遠早於顏運昌去年的橫死案，因此……

我開始有了很多千回百轉的念頭。或許顏運昌教授放在網路上的研究著作，也值得我好好琢磨一番。

我從他的研究著作一覽表中篩選出五篇刊登在TSSCI期刊上的論文。

休閒產業的品牌形象與行銷：以南投環湖纜車站為例

休閒產業行銷的顧客忠誠：環湖纜車站個案研究
平衡計分卡與休閒產業管理：環湖纜車站個案分析
休閒產業的顧客認知與滿意度：環湖纜車站的實證研究
休閒產業的學習型組織：南投環湖纜車站的田野研究

這五篇以休閒產業管理為範疇的研究論文，其在副標題中所選定的個案，都是這環湖纜車站。打開五篇論文的pdf檔，盡是一字不漏地節錄自顏運昌教授掛名主持人的研究計畫成果報告，以問卷調查或深度訪談的方式，從環湖纜車站的工作人員與遊客身上搜集研究資料……

而這五項研究計畫成果報告封面的研究助理欄裡，全都只有陶百祥一個人的名字。套用學術界不成文的規則，這五項研究計畫的成果報告與因而衍生出的五篇論文一概是陶百祥一人的心血結晶，而與主持人顏運昌教授無涉。

翻閱陶百祥的學籍資料……

明星高中畢業，大學四年都是全班第一名，學校書卷獎的常客，申請並執行過科技部所補助的大專學生研究計畫。

志願是大學生中少見的「以學術研究為志業」，好樣的……

像他這種人才不要說是顏運昌教授了，就連我都會趨之若鶩，想方設法把他留在我身邊，據為己有愈久、剽竊他的論文愈多愈好。

誠如劉冠治所言的，如果這不是犯案動機，那麼什麼才是呢？

但是，卓佑旻與劉冠治在學時被顏運昌剽竊的論文也不遑多讓：卓佑旻同是五篇，一篇被刊登於

TSSCI期刊、四篇被刊登於非TSSCI期刊，研究個案遍及中臺灣的各大遊樂園；而劉冠治則是七篇，三篇被刊登於TSSCI期刊、四篇被刊登於非TSSCI期刊，研究個案是觀光農場與海洋世界。

以論文數PK，他們的犯案動機不會輸給陶百祥。

是誰？是誰下的手呢？

此時，車窗外的湖端站已近在咫尺……

10

車廂不疾不徐地移近湖端站的下車站臺。

完成環湖一圈的「壯舉」後，吉娃娃收拾起空塑膠杯與一袋袋的空零食包，隨我在站務人員的引導下下了車：

「泰迪熊，bye-bye！」

出了車廂的我不忘回視漆在車體上的編號……

鬼使神差！不是別的號碼，就是八號！我們坐的車廂，就是去年顏運昌教授被殺身亡的那一臺！

金色的八號車廂。冥冥之中，自有定數……

吉娃娃驚呼了一聲。我踉蹌的步伐彷彿像是被顏運昌教授的幽魂引領似地，不偏不倚停歇在下車站臺旁的辦公室門口。大門向外敞開，辦公室內的液晶顯示器上，監視器錄到的即時畫面因而一覽無遺。

果然，在站臺上從上往下拍攝車廂的監視器是有死角的。因為在液晶顯示器上的八號車廂，車廂內全然不見被車門那一側的車體遮擋住的泰迪熊。

「吉靜如同學，妳能否查得到卓佑旻、陶百祥與劉冠治三個人的身高與體重分別是多少嗎？」

「一塊蛋糕（A piece of cake）。」吉娃娃滑了滑手機後，嚷道：「查到啦……查到啦……」

卓佑旻　一百七十八公分　八十三公斤
陶百祥　一百六十二公分　五十公斤
劉冠治　一百七十四公分　七十四公斤

晚間六點，我和吉娃娃在西沉的夕陽下，坐進湖端站的露天義大利麵餐廳。

我向服務生點了燻雞麵。才在高空的車廂內大飽口福過的吉娃娃又不慌不忙地點了一份西班牙海鮮燉飯套餐，令我瞠目結舌。

「吉靜如同學，妳沒去報名大胃王比賽，實在太埋沒了……」

「說得也是。像我這麼……瘦弱的女生，最能夠在那種比賽裡……以小搏大、異軍突起了。」

冷風拂面。吉娃娃戴上帽T的帽子，拿出暖暖包，在雙掌間來回搓揉著。

「柯老師，顏運昌教授的案子，有……眉目了嗎？」

她察言觀色道。正要欣賞湖畔美景的我調回目光：

「嗯，我不敢說胸有成竹。不過，倒有些淺見……」

「柯老師，我們……又不是在上課，幹麼那麼文謅謅的啊？」

我乾笑了一下。

「去年的十一月五日，下午兩點二十三分，顏運昌教授開車來到環湖纜車的湖端站，購買以湖端為起站的來回票。兩點五十分，他一個人坐上了……我們倆才坐過的那臺金色的八號車廂……」

「呃……」

吉娃娃作將手臂上的雞皮疙瘩揮掉的嫌惡狀。

「兇手是如何上下八號車廂內行兇的？三點十分，八號車廂內被樂園站上、下車站臺的兩部監視器拍到仍活著的顏運昌教授。三點三十分，八號車廂回到湖端站時，顏運昌教授就被刺死在車廂內了。在顏運昌教授乘坐纜車的這四十分鐘裡，四部環湖纜車站的監視器所拍到的八號車廂畫面中，車廂內與車頂上都沒有第二個人在，也沒有人從樂園站上下車廂過。」

「……是的。」

「兇手於湖端與樂園兩站間進入八號車廂內的可能性，被環湖纜車站務組的班長否決後，已不復存在；兇手在七號、九號或六號、十號等別臺車廂內行兇的可能性，考量到技術上的高難度，亦微乎其微。」

「……是的。」

「所以，兇手……會不會是在三點三十分打開八號車廂的車門、引導顏運昌教授下車的那一刻，在湖端站的下車站臺上行兇的？」

「什麼？在湖端站的下車站臺上行兇？所以兇手是……那個陳裕峰嗎？」

「然而，監視器拍到的畫面，排除了這種大膽的可能性。況且，連刺十一記的致命傷拖長了行兇的時間，那些在下車站臺下車以及在上車站臺排隊的遊客怎麼會都沒有看到？要是看到了，怎麼會都視若無睹？」

「……是的。」

「因此，兇手碩果僅存的行兇手法，就是……」

服務生端來了我的燻雞麵。我大口一吹，麵盤便升起熱騰騰的白煙。

我撿起叉子捲纏著麵條，正要送入嘴，吉娃娃就用手擋住我問：

「……就是什麼？」

「啊？」

「兇手碩果僅存的……行兇手法，就是什麼？」

「還會有什麼？就是：兇手全程都藏在車廂內啊。」

說完，我趕忙將麵條送入嘴。

味道還不錯吃呢。

11

「兇手全程都藏在車廂內？柯老師不是……也背書過，車廂內只有兩排對坐的實心座位，藏……藏不了人嗎？」

吉娃娃氣急敗壞，連服務生端過來的西班牙海鮮燉飯與飲料她都視而不見。

「大部分的車廂內是藏不了人。不過，有少部分的車廂是例外……」

「為什麼？」

「因為那少部分的車廂內，多了一樣大部分車廂內沒有的東西。」

「柯老師，再這樣繼續賣關子下去……的話，我可要抓狂了！少部分的車廂內多了一樣東西？多了一樣……大部分車廂內沒有的東西？」

「吉靜如同學，我對妳有十足的信心。」

「大部分車廂內沒有的東西？不會是那個……我最喜愛的泰迪熊吧？」

「妳看吧，行銷管理與流通學系的資優生就是不一樣！」

「兇手是……泰迪熊，不，是藏在泰迪熊裡面嗎？Oh my God……」

「而藏了兇手的泰迪熊早在顏運昌上車前，就被放在八號車廂裡了。」

「是誰放的？站務人員嗎？是……哪個站務人員？」

「不是陳裕峰，還有誰？」

「所以陳裕峰是兇手的共犯？那兇手是……」

我又往嘴裡塞了一口麵條，並喝下半杯的白開水。

「兇手事先將顏運昌教授約去環湖纜車的湖端站，然後在約定的時間前到湖端站，由陳裕峰協助藏進泰迪熊裡，再連熊帶人被扛進八號車廂內。

「當顏運昌教授在湖端站排隊上車時，陳裕峰的任務，就是無論如何也要將顏運昌教授引導進八號車廂內，並且在八號車廂返回湖端站時回收泰迪熊。兇手沒有在從湖端站到樂園站的去程而是在從樂園站到湖端站的回程中行兇，原因也在此。」

「因為兇手……若是在去程中行兇，樂園站的站務人員可不會為他……回收泰迪熊……」

「因此，兇手必須滿足下列要件：第一，是陳裕峰的舊友；第二，對環湖纜車站有相當的熟稔度；第三，身長要塞得進泰迪熊裡。放眼卓佑旻、陶百祥與劉冠治三人，只有陶百祥都符合這些要件。」

「……好像是。」

「就讓我揣摩揣摩陶百祥的心境，將全案細說從頭吧！他應該是忿恨被顏運昌教授『軟禁』在休閒產業管理研究中心當廉價的學術勞工，研究能量不斷被剝削、研究成果不斷被剽竊，而顏運昌教授又堅決不肯放他畢業，身心都被逼到極限，所以才選定一個他先前執行研究計畫時熟稔的場所-環湖纜車站，策劃一樁不可能的犯罪，來對顏運昌教授痛下殺手吧。」

「柯老師，我是……不知道啦，真有人會為了這種理由而殺人嗎？」

「Trust me，倘若妳身歷其境，像陶百祥這樣被自己的指導教授吃人夠夠，妳也會想鋌而走險的，只是差在最後做與不做……

「但是對陶百祥來說，這樁不可能犯罪的先決條件必須要有一位在上、下車站臺接應的站務人員。而他哥哥陶千祥的大學同學、已被他加為臉書好友的陳裕峰，就是最適當的人選啦。

「陶百祥是否有將他的殺人計畫向陳裕峰全盤托出？或許有，或許沒有，而只以『要在高空的纜車車廂中給自己的指導教授一個驚喜』為由蒙混過去……

「為了不被抓到把柄，陶百祥不打電話、寫電子郵件、傳簡訊或使用通訊社群軟體，而是當面向顏運昌教授口頭邀約。邀約的名目為何？真要我瞎猜的話，可能是用『在學校以外的安全地點，向老師稟告與管理學院院長選舉有關的極機密內線消息』，引顏運昌教授上當的吧。

「案發當天，一百六十二公分高、五十公斤重的陶百祥在陳裕峰的協助下藏進一百七十公分高的泰迪熊裡，由陳裕峰連人帶熊扛進八號車廂內，並緊靠車門置放，才能在有拍攝死角的四部環湖纜車的監視器下瞞天過海。待顏運昌教授一到，再將他也引導進八號車廂，好讓他與自己的得意門生在七、八百公尺的高空中來個相見歡。

「下午三點十分至三點三十分，當八號車廂從樂園站回到湖端站的途中，陶百祥自被動了手腳的泰迪熊中破繭而出。由於前面的七號車廂與後面的幾號車廂內都沒有遊客，沒有遊客就沒有目擊證人，陶百祥得以揮舞預藏的利器，朝指導教授的頸部盡情發洩怨氣。

「刺、刺、刺、刺，連刺了十一記。行兇完，陶百祥再藏回泰迪熊中。

「下午三點三十分，湖端站下車站臺的監視器拍到倒臥在八號車廂座位上的顏運昌教授時……

陳裕峰倒退了三步，從畫面右下方出鏡。十秒鐘後，八號車廂也從右下方出了鏡。無人乘坐的九號車廂從左下方入鏡後，旋而靜止不動。

這是纜車經陳裕峰向上通報後停駛的結果。停駛時的八號車廂，並沒有被監視器所拍到。

「因此，當陳裕峰疏散完上、下車站臺上的遊客後，是在監視器的鏡頭外將陶百祥與泰迪熊連人帶熊扛出八號車廂藏匿，再等警方到來……

「雖然，夠義氣的陳裕峰第一時間內並沒有對警方露出什麼馬腳，但陶百祥伺機將兇器與藏身用的泰迪熊處理掉後，仍然狡兔死、走狗烹地將陳裕峰在十二月九日這個月黑風高的夜晚裡一把推下湖端站，以杜後患……」

我話音甫落，吉娃娃桌前用來盛燉飯的瓷器皿也適時見了底。

她對我鼓掌時，左手腕上那三、四條bling、bling的手環清脆作響。我也對她鼓掌：

「妳的胃口真不是蓋的……」

「柯老師，我們……打電話給警方吧。」

「警方」這兩個字，讓我猶如驚弓之鳥：

「幹麼呀？」

「就是柯老師的……這番推理呀。報給他們知……」

「啊，那只是我在證據不足下，茶餘飯後對顏運昌教授與陳裕峰死亡的揣測而已，不足掛齒，何苦去警方那邊班門弄斧呢？」我滔滔不絕：「而且，森永結衣同學的失蹤事關校譽與系譽，絕不能對外張揚。要是被警方問起我們一師一生跑來中臺灣做什麼，我們要如何自圓其說呢？」

「對耶，我都疏忽了……」

「總不能謊稱我們是情侶，來南投小度蜜月的吧？」

「那麼……我們去國立豐原教育大學找那位陶百祥對質，如何？」

「免了吧。一個森永結衣同學已經夠我們焦頭爛額了，多一事不如少一事。如果我的揣測是對的，陶百祥真是兇手，那麼我們這樣冒冒失失地去對質，就是打草驚蛇；如果我的揣測是錯的，陶百祥不是兇手，那麼我們這樣冒冒失失地去對質，就是貽笑大方。」

「裡外……都不是人嗎？」

「對啊。妳就別再管那環湖纜車站的命案了，還是把重心聚焦回森永結衣同學上吧。」

「……是。」

而我的重心，則要聚焦回我這位可愛的吉娃娃上。

12

吃完晚餐後，吉娃娃擱著現成的湖畔夜景不看，堅持隨我回「三分之一島」酒店的房間推敲森永結衣失蹤的案情。

「因為被柯老師的推理……給刺激到了。所以，我也不能……太不長進。」

「那麼，就來我的房間吧。」

我們進了二二三七號房。吉娃娃脫了帆布鞋，盤腿坐在我的床罩上，滑手機看管理學院交換生迎新晚會的出席者回她的私訊。

「才只有四個人……回我。好，我再發一次群組私訊……」

我從小冰箱裡取出一罐啤酒，坐在椅子上啜飲著，並默默觀賞她雪白的頸部。

那雪白到快透明的頸部……

「有回妳的是哪四個人？」

「一個是……什麼資訊管理學系的馬來西亞籍交換生，兩個是……我們行銷管理與流通學系的對岸來的交換生，還有一個是……國際企業學系的印尼籍僑生……」

「這四個都是男的嗎？」

「柯老師猜錯啦，這四個……都是女的。」

「她們回的私訊有用嗎？」

「沒什麼用。資管系與我們系的交換生說，整場迎新晚會她們都沒有去跟森永結衣同學寒暄過。只有……國企系的那位交換生說，迎新晚會的表演節目結束後，她有看到一個男的……一直在對森永結衣同學勸酒。」

「男的？長什麼樣子？」

「戴眼鏡，一百六十五公分上下。她能記住的就這麼多了……」

戴眼鏡？一六五公分？

她看到的，不會就是我本人吧？

想叫吉娃娃傳我的照片去給那位交換生看。後轉念一想，這不是形同我自投羅網嗎？

我決定按兵不動。這個時候，吉娃娃將她寫在手機裡的迎新晚會流程簡表給我過目。

七點三十分～四十分　姚院長致詞
七點四十分～八點三十分　餘興表演節目
八點三十分～十點五分　森永結衣到教師桌敬酒
　　不明男子向森永結衣勸酒
　　張奎龍教授與柯宇舫老師在教師桌裡聊天
十點五分　森永結衣在廁所門口叫住柯宇舫老師
十點二十五分　柯宇舫老師在海島渡假飯店打卡

還真是份簡到不行的「簡」表。不過，由於當晚酒精攪局，腦子已不中用的我橫豎也新增不了什麼資訊上去。

「是嗎？可是我聽……李勇良老師說，柯老師也出席了……去年管理學院的交換生迎新晚會，對不對？」

「是的，去年也是我。」

「我在想啊，這兩年迎新晚會的流程，會不會是……大同小異呢？」

「這個嘛……」

「比方說，去年的迎新晚會，也是在……海島度假飯店舉行的嗎？」

「去年嗎？」我絞盡腦汁：「是不是？好像是喔……嗯，應該是。」

海島度假飯店的董事長是校友，又是學校的董事，所以……

「那麼，去年的晚會裡……有哪些流程呢？」

去年的流程、去年的流程……海島度假飯店的包廳……

交換生迎新晚會……交換生、交換生……從日本來的交換生……

「交換生代表致詞。」

我信誓旦旦說。吉娃娃前傾身子問道：

「……什麼？」

「去年，有一段交換生代表致詞，由學校有史以來的第一位日籍交換生代表全體交換生上臺，發表感言。」

「真的假的？我還以為，森永結衣同學……才是第一個從日本來本校的交換生呢。」

「去年那位交換生代表，也是個女生。」

「她是到……哪一系做交換啊？」

「好像是資管系。」

「……叫什麼名字啊？」

「名字嗎？好像是叫做小宮……小宮亞實。小宮，大小的大、皇宮的宮；亞實，亞洲的亞、誠實的實。」

「小宮亞實？她也是從……上智大學來的嗎？」

「好像不是喔……咦？是哪一所大學來著？」

「她為什麼要來……臺灣呢？又為什麼要來……我們學校呢？這一切的一切，我就來求助一下我那位……大學唸日文系的遠房堂姊好了。」

「吉靜如同學，你會不會搞錯方向啦？」我啞然失笑：「去年的交換生代表跟這次森永結衣同學的失蹤，兩者根本是風馬牛不相及嘛！」

「可是，她們不都是……日本人嗎？」

「這太牽強了。全日本有一億兩千多萬人耶！」

「好啦好啦，言歸正傳。柯老師，今年的……迎新晚會，是不是也有安排交換生代表致詞呢？」

有嗎？今年有嗎？

今年的交換生代表是誰呢？也是日本同學嗎？如果和去年一樣是日本同學，森永結衣可就跑不掉了。

她是今年的交換生代表嗎？在迎新晚會中，她有上臺致詞嗎？

有嗎？我搜索枯腸……

哎呀，想那麼多幹麼？森永結衣是不是交換生代表、有沒有上臺致詞什麼的，就讓吉娃娃她去傷神吧！

我應該要傷神的是……

進房時，已經將房內的空調溫度升高到二十九度了，怎麼還不見吉娃娃喊熱啊？

她再不喊熱，我就沒搞頭啦。交還她手機時，我沉不住氣了：

「吉靜如同學，妳有沒有流汗啊？」

「流汗？」吉娃娃撫額道：「這麼一說，好像是有一點。柯老師呢？會不會……熱？」

「我有啤酒降溫，怎麼會熱呢？」我不安好心：「妳既然流了汗，要不要把帽T給脫了？」

「房間的空調咧？」她左顧右盼：「不能……轉冷一點嗎？」

「別理空調啦，妳要不要把妳的帽T給脫了？」

「可是……脫了帽T，我裡面就只有內衣耶……」

「不然，妳去沖個澡吧，這樣會涼快些。」

「好主意。那我回房間去，沖個澡……再過來。」

「喂，吉靜如同學……」

她下床穿鞋後鎖上房門而出，丟下我一個人。我就在在房內踱步來、踱步去、踱步來、踱步去……

一個小時後，她打內線電話過來，說她睏啦，要先睡了。

才十點耶！

「柯老師，晚安。」

「喔，吉靜如同學，晚安。」

我這白癡！我這白癡！打從一開始，我就應該是要去她的房間才對。悔不當初啊！

在懊惱中，我抓起了我的車鑰匙，向房門走去。

13

第二天早晨，我被吉娃娃的內線電話吵醒。

「……柯老師，morning call，morning call！」
「……現在幾點啦？」
「已經……八點半啦！」
「才八點半？妳幹麼不繼續睡呢？」
「柯老師，酒店的早餐buffet……只供餐到十點鐘喔！太晚去，就沒時間吃啦。」
「妳這麼早就餓囉？」
「想說，錢都已經花了……」
啊花的又不是妳的錢。
「好啦好啦，給我十分鐘……」
睡眼惺忪的我勉力爬起床，盥洗了十分鐘再加半小時後才整裝出房門。
我去按二二三八號房的電鈴。拉開房門的吉娃娃養足一夜的精神，已經蓄勢待發了。
她在灰色細肩帶洋裝外披了一件白色長袖襯衫，穿酒店的夾腳拖。
「柯老師，黑眼圈……很重喔！」
「哈哈……」
唉，苦命的我才睡了四個多鐘頭，黑眼圈能不重嗎？
我們坐電梯到三樓的餐廳。餐廳門口的服務人員問我們房號，我們一人回答一個。
「是兩個房間嗎？」
「是的。」
同行的兩人竟不同房，讓服務人員多問了一句，丟臉極了。

因為沒睡飽又沒有什麼吃早餐的習慣，面對琳瑯滿目的取食區時我意興闌珊，只給自己烤了兩片塗草莓果醬的吐司，再倒了一杯鮮奶。

回座位時，吉娃娃的桌前已擺滿了皮蛋瘦肉粥、煎蛋捲、叉燒包、小籠包、蛋餅、燒餅油條、Cereal麥片、炒米粉、炒麵、火腿、培根、德國香腸、荷包蛋、炒蛋、水煮蛋、沙拉與切片水果……

「擺得像貢品一樣。吉靜如同學，妳是要祭祖嗎？」

「討厭，什麼祭祖嘛？既然是……吃到飽，不拿白不拿囉。」

「瘦成這樣，被妳吃下肚的東西都不知道跑到哪裡去了。」

「人家體質……得天獨厚囉……」

吉娃娃在碗盤間埋頭苦幹時，我望著她頭頂的髮旋。一圈又一圈、一圈又一圈……

我連人帶魂，似乎都被她的髮旋給捲進去了。

三個晚上的蜜月旅行已經去掉了一晚。我再不加把勁，一回臺北，這種天賜良機可就一去而不復返啦。

然而，如何才能讓她卸除心防，樂於對我輕解羅衫呢？

「太不公平了。哪像我中年發福，喝水也會胖。」

我信口道。吉娃娃從碗盤間仰起頭：

「柯老師……都不運動的嗎？」

「我那麼忙，哪有時間啊？妳呢？妳有在運動嗎？」

「我最愛的運動……就是游泳了。」

「游泳啊？」
我心頭一蕩。
「吃完早餐後休息個半小時，我就要去……酒店的游泳池報到了。」
「是嗎？」
「怎麼樣？柯老師，要跟嗎？」

游泳→泳裝→暴露→養眼

昨晚的暖氣作戰有心栽花花不發，今晨的運動閒聊卻無心插柳柳成蔭……
「跟，當然要跟了！」

14

「三分之一島」酒店的一樓有三座室內游泳池：標準池長五十公尺，有八個泳道，水深最深；鄰近的短池長度只有標準池的一半，水深也打了折扣；長度最小、水深最淺的那座綜合池則兼作兒童戲水與水療用。

在標準池裡穿梭來、穿梭去的那些水中蛟龍們，我自嘆弗如；綜合池裡佇立在水柱下沖肩、頸、背的老人與潑水嬉鬧的毛小孩，我則望而生畏。權衡之下，還是將自己像關東煮一樣浸泡在短池內，方為上策。

短池內放的是溫水，但親睹女神「水著」降臨的我，兩頰卻發燙得緊。體溫也降不下來。因為素顏的吉娃娃穿一套紅色的比基尼，從女子更衣室翩然來到池邊。比例勻稱的她，體型雖玲瓏卻有致。當她戴好泳帽、伸腿探下池面時，我不覺看呆了。吉、娃、娃……

入池後，池面恰恰淹到她豐滿的胸部。

「吉靜如同學，妳怎麼……穿個兩截式……的泳衣來啊？」

「柯老師，我……聽不見，大聲一點，室內的回音……太吵了。」

「我說，妳怎麼穿個……兩截式的泳衣來啊？」

「柯老師，比基尼……就比基尼嘛！我還是第一次聽人講……『兩截式』這個詞呢！」

「那妳幹麼穿比基尼來呢？」

「一定要的啊。要是……我穿連身式的泳衣來，不被誤認為是老女人才怪。」

「『老女人』太難聽了，改成『美魔女』還悅耳些……」

「柯老師，我那麼幼齒，才不要……被誤認為是什麼美魔女呢。而且穿連身泳衣，包得……那麼緊，才遜吧。」

邊說，吉娃娃的胸部都快從泳衣裡溢出來了。怎麼也無法將現在這辣死人不償命的她，跟平日鄰家女孩的她兜在一塊兒。

再這樣浸泡下去，池水都快要被我的體溫給煮沸啦……

她戴上泳鏡，開始循著某條泳道向前游去。既然她敢露敢秀，沒在忌諱旁人的眼光，我也就老實不客氣了。

我也戴上泳鏡，跟在她後頭游起蛙式來。

跟在她起起伏伏、起起伏伏的小蠻腰，以及照我老母的說法很會生孩子的肉感臀部後頭，游起蛙式來……

而她那一開一合的雙腿，將我愈引愈近、愈引愈近、愈引愈近。一個沒留神，我的鼻樑上就挨了她一腳。

Shit！

痛得我把頭浮出池面，哇哇大叫。

吉娃娃停了下來，站直身子回首道：

「……柯老師，沒事吧？」

斗大的水珠，從她的瓜子臉龐滴落而下。

這般可愛的妹妹，腿勁卻如此之強，教人始料未及。我摀著鼻樑，猶如啞巴吃黃蓮：

「還好，沒事……」

「……沒事就好。」

吉娃娃一矮身，又向前游走了。我打消繼續follow她池底泳姿的邪念，取下泳鏡，踩著水走到最側邊的泳道起點驗傷。

疼痛破表。一摸鼻孔，見紅了！

這不爭氣的鼻血沒因吉娃娃那噴火的身形，卻為我自己的不慎而流，糗大了……

我出了泳池，鼻孔塞著被捲成束狀的衛生紙，坐在池邊的躺椅上療傷。

吉娃娃的水中身手矯健非凡，自由式、蛙式、蝶式、仰式交互自如。如魚得水的她，連游一個鐘頭都不中斷。

我都快「度龜」了，濕淋淋的她才披著大毛巾，在我左邊的躺椅上坐下。

我飛快地將衛生紙從鼻孔抽出，揉在手心，扔進躺椅底部：

「吉靜如同學，都不曉得妳這麼能游啊？」

「柯老師，現在的我……已經比高中游泳隊時代的我退步多了。」

摘下泳帽、取下泳鏡的她側著脖子用大毛巾擦乾頭髮時，雙腿向前伸得老直。

沒有一丁點兒贅肉、淡麥色的芊芊雙腿……

唉，再讓她踢一腳，我也甘之如飴。

「文武全才？了不得、了不得。想必妳的粉絲也不少吧？」

「愛說笑。柯老師，我又不是名模、又不是藝人，哪會有……什麼粉絲啊？」

「都沒有人仰慕妳嗎？」

「最好是有……」

吉娃娃言不由衷。雖然她臉書上的感情狀況是「單身」，但我還是直搗黃龍地問道：

「吉靜如同學，妳目前有交往的對象嗎？」

「交往的……對象？男友嗎？沒有耶……」

「不要騙老師喔。妳發毒誓？」

「……我發毒誓：沒有。」

「如果有呢？」

「那我出去就被車子撞……」

安心了。不過，我可愛的吉娃娃金枝玉葉，怎麼可以被車子撞擊呢？

應該是被我的下半身撞擊才對，呵呵……

「柯老師，在……想什麼啊？笑得好猥瑣喔……」

「沒什麼。啊，已經十一點多了。」瞄了瞄手機後，我說：「十二點正要check-out，我們回房間去收拾行李吧。」

「ＯＫ。」

「走吧。結果我們大老遠跑來南投，一事無成……」

我只是沒話找話說，卻被吉娃娃吐起槽來：

「一事無成？不盡然喔，柯老師……」

「咦？此話怎講？」

「在下泳池前，我去大廳……的櫃檯，說我有一位……叫做森永結衣的日本女性朋友，來南投玩時對酒店的服務……讚不絕口，回日本後，卻忘了酒店的名稱……」

「吉靜如同學，妳夠格去當編劇了……」

「所以我就央求櫃檯人員……為我調出訂房記錄，看看有沒有她的名字。」

「櫃檯人員答應了嗎？」

「……答應了。」

「答應了？櫃檯人員是男的吧？」

「……Yes。」

「就知道。後來呢？」

吉娃娃搖頭，引得胸前波濤洶湧：

「櫃檯人員調出……過去一年的訂房記錄，沒有『森永結衣』這四個字。」

「也許她入住的時候，登記的是隨行同伴的名字。或者，她是用假名？」

「不可能耶……櫃檯人員強調，每一位住客的資料……他們都會建檔，而且入住時……會與住客的身分證或護照比對。」

「這麼機車啊？」

「因為櫃檯人員說，現代人外宿時……都愛在房間裡搞些有的沒的。酒店方面這麼機車，也是為了……自保。」

森永結衣……

柯老師您好。這學期初次造訪臺灣，我是森永結衣，請多多指教。

初次來臺灣……

因此，這學期來當交換生之前，全臺灣任何一家酒店、民宿與旅館的訂房記錄裡都不會有她。

這學期是從今年八月一日起算……

「妳只需央求櫃檯人員調出過去半年的訂房記錄便可。」

我對吉娃娃述說分明後，她憨笑道：

「是喔？我還怕……一年不夠，又往前追了兩年的訂房記錄出來呢，還是沒有……『森永結衣』這四個字……」

「人家森永結衣同學在第一堂『行銷個案研討』課裡，就說她是這學期初次造訪臺灣了嘛！」

「……我哪知啊？」

「妳沒聽到？翹課喔？」

「柯老師，我是『行銷個案研討』課的……加選生。第一堂沒到，無罪喔。」吉娃娃理直氣壯：

「而且，要不是我不知情，也不會從去年十一月三日的訂房記錄裡，直擊到……另一個日本名字了。」

「另一個日本名字？誰呀？」

「就是去年管理學院的……交換生代表，『小宮亞實』同學啊。」

「是那個小宮亞實？不是同名同姓的人？」

「就是她。記錄上……白紙黑字寫著：北華大學資訊管理學系交換生，十九歲，小宮亞實。」

偷拍小木屋的狗仔

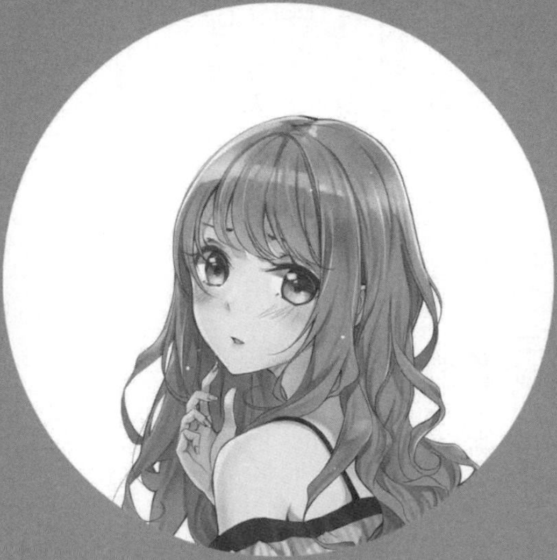

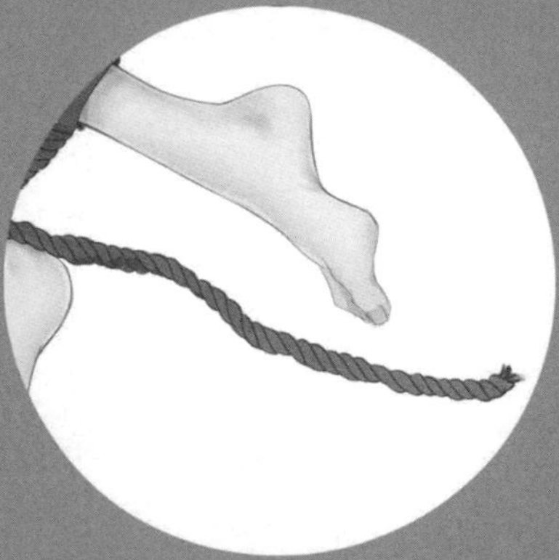

1

南投、臺中一帶號稱是臺灣的中部；實際上，它們的位置還是偏北。

就因為從北部到中部的距離與時間少於從中部到南部的距離與時間，所以中午從「三分之一島」酒店退房後，我們就開車到速食店的得來速外帶午餐，然後兼程趕路。

一份套餐之外，換回灰色細肩帶洋裝與白色長袖襯衫的吉娃娃又單點了兩個漢堡，並對嘖嘖稱奇的我辯解道：

「雖然早餐是buffet，但是我有去……泳池運動，熱量都消耗掉囉。」

「I know you，就算沒運動，妳吃的也不會少到哪裡去。」只單點了一份套餐的我一手捧漢堡、一手操控方向盤：「這樣吧，吉靜如同學，我的雪碧也給妳。」

「哦？柯老師不渴嗎？」

「我怕頻尿要上廁所，所以……」

真心話是為了體恤可愛的妳，才讓給妳喝。

吉娃娃接過我的雪碧，口含吸管的翹嘴悠悠問了句：

「柯老師……結婚了嗎？」

我捧漢堡的手一鬆：

「幹麼關心這個？」

「就像在游泳池的時候，柯老師……關心我有沒有男朋友一樣啊。」

「那個只是……那個只是……」

我語無倫次，而吉娃娃只管往死裡問：

「所以……柯老師是結婚了還是沒結婚嘛？」

「沒有，我沒有結婚。」

「那有……交往的對象嗎？」

「也沒有……」

「也沒有？這樣不是很寂寞嗎？」

「是啊。」

所以，妳這位吉娃娃就以結婚為前提，跟我柯宇舫交往交往吧。

「柯老師為什麼……不談場戀愛呢？」

「唉，一言難盡啊。」我在鍾情的女學生前真情流露：「博士畢業七年來，我的工作運勢低迷不振；一直在為自己的專任教職打拼，而忙到沒空談戀愛。」

「柯老師的上一段戀情呢？」

「上一段戀情？那已經是十年前的事了。」

「什麼？戀情……空白了十年？柯老師，怎麼撐過來的？教一下！」

還不就用A片來意淫……

「還不就移情到作育英才上，把書教好囉。」

「是喔？柯老師……好偉大呀！」

「哈哈哈，好說、好說……」

偉大個屁咧。

「嗯，吃太飽了……」吉娃娃伸個懶腰，往副駕駛座的椅背一縮：「Sorry，柯老師，我先……睡一覺啦。」

「請便請便……」

駛過南投服務區後，名間、竹山、斗六三處的交流道紓解掉不少三號高速公路上的車流量。但一過古坑服務區，車又多了起來。

雲、嘉境內的高速公路沿線，以像是果園、稻田等純樸的農村景色居多。相較北部，彷彿置身於另一個國度。

餘光中，吉娃娃的睡臉香甜無比。我得忍人所不能忍，才能不給她親下去……想點別的事吧。

什麼事呢？例如：今天晚上要如何讓吉娃娃在房間裡寬衣解帶，對我就範？

……

柯宇舫，鬧夠了沒？一個森永結衣的爛攤子嫌少，還要再捅出一個吉娃娃的樓子？

吉娃娃可不是這學期末就拍拍屁股回國、從此與我各分東西的交換生：她在校還有兩年多，畢業後也來日方長。如果為此吃上官司，我區區一個兼任教師玩得起嗎？

玩不起。那麼，如果讓她愛上我呢？

你情我願、兩相情悅，這樣就犯不著對簿公堂了。可是，要怎麼樣讓她愛上我呢？

要怎麼樣讓她愛上這個又窮又醜的我呢？難如登天！

與其如此，硬上她反倒是條捷徑。但是，如果為此吃上官司，我區區一個兼任教師玩得起嗎？玩不起。那麼，如果讓她愛上我呢？

假如不是手機行事曆的警示鈴聲，天知道我還要這樣鬼打牆下去到什麼時候。

行事曆上跳出一行閃爍的字：

房租轉帳

對對對，今天就是這個月的期限！

李勇良學長也都傳過話了。要是再拖欠的話，又是系上的專任教師、又是房東的張奎龍教授多的是招數整我。

最初，我也是在極為被動下，由他半推銷、半逼迫地搬進他公寓的。

「我那戶屋子離學校又近、屋況又新，包準柯老師住到賺到！」

「是嗎？謝謝張教授，我會擇日去看看的。」

「擇日？什麼擇日？擇日不如撞日！今天，我們就來把租約簽一簽吧！」

「今天？張教授，會不會太快了？房子我連看都還沒看過呢。」

「太快？還要你看過了才算數？柯老師，這不是擺明了不把我張某人放在眼裡嗎？」

「不不不，張教授，您言重了……」

「我的天，後生可畏啊……」

「沒這回事、沒這回事，我們這些做晚輩的還要向您這樣的前輩多討教、多學習呢。」

「有道是長江後浪推前浪，我這個前浪只好死在沙灘上……」

「哪兒說的話？張教授您永遠是後浪！」

「我是後浪？所以，我比柯老師還資淺囉？」

「不不不，張教授，我失言啦……」

「學術圈已經沒有倫理。柯老師翅膀硬了，過河拆橋，就把我這老傢伙一腳踹開啦……」

張奎龍教授是全行銷管理與流通學系最資深的老師，與管理學院的姚院長又是拜把的兄弟。得罪他，無異是自找罪受。

我咬牙道：

「張教授，為示我一片赤誠，如果您不嫌棄的話，我們就來把租約簽一簽吧！」

「簽一簽？所以，柯老師是在求我囉？」

「是的。張教授，求求您把房子租給我！」

這老狐狸前恭後倨，開了好些苛刻的條件出來。

「房租一個月兩萬。算柯老師便宜點，一萬八千元。簽約時，先付兩個月押金。」

「一萬八千元？怎、怎麼那麼貴啊？」

「柯老師當我那戶屋子是學生宿舍嗎？」

「不不不，怎麼會呢？」

「我那戶屋子有三個房間呢！還有客廳、廚房……」

「我曉得了，一萬八千元是整戶房子的租金……」

「不，是一間套房的租金。」

「這……」

「雖然只是一間套房，但另外兩個房間都沒被租出去。說柯老師是一個人坐擁整戶，也不為過。」

「所以，三個房間我都可以用了？」
「不！我不是說了嗎？只有一間套房！」
幹，而且還是三房裡最小的那間……
他拉我這個衰鬼當墊被，好去cover他整戶屋子的租金。包租公的算盤，打得可精呢。
「One more thing to tell you，我每個星期在學校有課的那幾天，會就近去那邊的空房間留宿。」
「什麼？」
「不介意吧？柯老師？」
「不介意、不介意……」
我能說介意嗎？騎虎難下，只好打落牙齒和血吞……
到何年何月我才能脫離苦海，跟這種吃人不吐骨頭的房東分道揚鑣呢？

2

吉娃娃睡完午覺，又叫餓、叫渴了。
我們在台南的東山服務區補糧，買了煎餅、香腸與冷飲後再上路。駛過柳營、烏山頭、官田系統與善化交流道後，由新化系統交流道取道八號高速公路，轉駛中山高速公路。
「柯老師……這樣走的用意是？」
「沒什麼。條條大路通羅馬嘛！」
如果我告訴她說，我只是想喝杯仁德服務區的濃縮瑪奇朵，很可能會招來她「死腦筋」之議。

「別的服務區……也有賣咖啡，幹麼大費周章繞到仁德去啊？」

可我就是偏愛那裡的濃縮瑪奇朵嘛。一入喉，我就疲勞消散、精神百倍……

扔了紙杯，再坐回駕駛座時，我彷彿重獲新生般。

多虧那客濃縮瑪奇朵，我才能連過路竹、高科、岡山等交流道駛完整條中山高速公路，行經被石化、鋼鐵工業區的聯結車與拖板車壓出坑坑洞洞的高雄市沿海路，依林園、東港向南。

也沒漏掉去便利商店轉房租的帳。林邊、佳冬、枋寮、春日……

「愛相隨」民宿的地點就在春日鄉。即使有吉娃娃手機的導航ＡＰＰ輔助，我們還是在彎彎曲曲的產業道路開了快兩個鐘頭，才在傍晚六點駛抵山腰上那成排的歐式小木屋。

在陰鬱的黃昏下，漆成赭紅色的小木屋顯得格外耀眼。

小木屋共有四幢，每幢都有上、下兩層，每層僅隔出了一個大房間。每個房間的門口，都延伸出約十坪大的前陽臺，前陽臺上有可擋風遮雨的屋簷。每個前陽臺上都擺了張長長的木製餐桌以及六、七把木椅；餐桌上堆放著電磁爐，以及一些初級的烹飪用具。

當我把車在小木屋前的石子路空地熄火時，體力透支的卻是在副駕駛座上無所事事了大半天的吉娃娃：

「柯老師，我累斃了……累慘了……累癱了……」

是有那麼累嗎？妳不是什麼也沒做嗎？

空地上還併停著三臺車，足見這民宿的地點雖偏僻，生意倒還過得去。

「這些房客的……神經有夠大條，死過人也嚇不跑……」

「吉靜如同學，妳在說什麼啊？」

「沒……沒什麼，柯老師。」

一開車門，冷颼颼的空氣便鑽入車內。我們背著行李，疾步向設在小木屋外的接待室走去。接待室唱起空城計來。吉娃娃按了木製櫃檯上的銀鈴，才從櫃檯後面的小房間裡出來一位五十來歲的歐巴桑，應該就是老闆娘了。

「妳好，我們有訂房……」

吉娃娃對老闆娘說。老闆娘吸了吸鼻子，問道：

「貴姓啊？」

「我姓吉，這位姓柯……」

「吉小姐嗎？」老闆娘翻著櫃檯上的Ａ３記事本：「嗯，請跟我來吧。」

她帶領我們出接待室，走向環繞小木屋外牆的階梯。階梯也是用木頭搭建的，每踩下一步，就會爆出「嘰嘰嘎嘎」的雜音。

就在不絕的雜音中，我們上到第二幢小木屋的二樓。老闆娘掏出鑰匙打開房門，招手請我們進房。房間很大，室內也佈置得很典雅、很溫馨……

咦？雙人床？這樣的意思是？

「兩位是第一次來吧？那麼，我來跟兩位講解講解………晚餐……早餐……」

後面的話，我一句也聽不進去了。

老闆娘一走，我就關上房門，不動聲色地對吉娃娃說：

「這張是雙人床耶。」

「對呀，是……雙人床啊。」

「所以，今天晚上妳只有訂這一間房？」

「嗯。她們沒有……多的房間了。」

沒有多的房間了。Yes！Yes！Yes！Yes！Yes！

「沒有啦？」

「往好處想，這就替……柯老師省下一半的住宿費了。」

「是啊……」

光想著省錢也太膚淺了。到了晚上，就讓妳這吉娃娃見識見識最貨真價實的「好處」唄！

呵呵、呵呵、呵呵呵……

「柯老師……就將就一下吧。我的鼾聲，夜裡要請多多包容了。」

「ＯＫ。」

我雀躍的心，用千斤來壓也壓不住。就連從前陽臺眺望出去的山壁斷崖，都美了起來。

好一個世外桃源啊……

「……柯老師，走吧！」

「走？走去哪裡？」

「去老闆娘說的……山下的柑仔店，採買晚餐的食材啊。」

「什麼？還要我們自己去採買啊？民宿這邊，沒有供餐嗎？」

「柯老師，老闆娘不是……才講解過了？民宿這邊只有在供早餐，沒有在……供午、晚餐啦。」

「這麼克難喔？」

「別complaint啦。再不走，我要餓扁了……」

「是是是……」

餵飽妳也餵飽我，晚上才好「幹」活啊。

一個鐘頭後我們回到房間，將一個個重重的塑膠袋在房門外前陽臺的木製餐桌上一字排開。有的塑膠袋裡裝的是高麗菜、茼蒿、凍豆腐、豆皮、金針菇；有的塑膠袋裡裝的是魚餃、蛋餃、燕餃；有的塑膠袋裡裝的是魚丸、冬粉、蟹棒、魚板；有的塑膠袋裡裝的是貢丸、肉片、鮮蝦……

吉娃娃去接待室借來了一個附蓋的大鋼鍋與鍋勺，將鍋底注水，擺在電磁爐上烹煮食材。半晌，她掀起鍋蓋時，幾縷透明的白煙裊裊升起。鋼鍋口濃郁的香味讓她鼓掌叫好，也讓我垂涎三尺。

在冬夜的山上煮火鍋，再應景不過啦！我吃、我吃、我吃吃吃……

「柯老師要去泡湯嗎？」

鋼鍋見底後，吉娃娃這麼問我。

儘管泡湯並不是人飽餐後該做的事，但是：

泡湯↓脫光↓暴露↓養眼

就算有害健康，我也義不容辭啦！

而且這間民宿的名稱不是叫做「愛相隨」嗎？打了個嗝後，我說：

「好、好、好、好啊。」

「柯老師……爽快，我喜歡！」

聽到了沒？她喜歡我！她說她喜歡我呢！嘿嘿……

從四幢小木屋的後門穿過一條蜿蜒的小石徑，就座落著「愛相隨」民宿的大眾湯。

由於民宿的房數有限，泡湯客的量也被控制得當，不會太多、也不會太少。我一入湯，陣陣暖意就直衝腦門，淤積在周身的血液，似乎都活絡了起來。

通體舒暢啊。

再遠觀頭頂的點點繁星，就差杯清酒了。C'est la vie！人活著，就該當如此……

活著就該當如此……

ちょっとまって。更教人舒暢的來了！吉娃娃在星空下走著臺步，從小石徑的那頭登場。

當她走近湯邊，伸腿探下湯面時，我不覺看呆了。

吉、娃、娃……

不過，她跟我一樣保守，在身上圍了條浴巾。入湯後，湯面恰恰淹到她豐滿的胸部。

該怎麼弄掉她那條礙事的浴巾呢？

先假借某樣主題，分散她的注意力，再出其不意……

對，就這麼辦？可是，該假借什麼主題呢？

有了有了。就用在民宿的石子路空地停車時，吉娃娃那句耐人尋味的話來拋磚引玉吧。

那句：

這些房客……神經有夠大條，死過人也嚇不跑……

「死過人是指？」

「柯老師……不知道前年的那則新聞嗎？」

「有上新聞？」

「大學生……在這間『愛相隨』民宿裡，殺死自己老師的新聞啊。」

「什麼？弒師？有這種大逆不道的事？」

世風日下、人心不古啊。哪一天，我會不會也直著進教室，而橫著被抬出來呢？

「是那個老師……自己太過火了好不好？」吉娃娃的臉色因高溫而紅潤起來：「他的……所做所為，罪有應得。」

「太浮誇了吧？」

「柯老師，論壇上……有一篇取材自這個事件的報導文學。」吉娃娃反手從湯邊抓了手機，開始滑動：「文章篇幅……有點長。不過，事件的前因後果，都被一網打盡啦。在這邊、在這邊……」

盛情難卻。我只好朝她的手機，從湯裡伸出濕漉漉的手來。

3

《部落格》（之一）

在此，我要舉發一個學術惡棍的罪行。

此人相貌堂堂，戴著一副文青式的近視眼鏡，下巴蓄了一撮山羊鬍，超過一百八十公分的體格精壯結實，穿搭起衣服來也頗有品味。在我所就讀的科系裡，素有「型男教授」的美譽。

他曾執行過的研究計畫與發表過的期刊論文上百種，專書著作也高達二十餘本。同時，政商人脈豐沛的他在產、官界的校外兼職亦不勝枚舉。事業卓然有成，在學界可說是位不可多得的明星級人物。

Besides，他自稱是虔誠的基督徒，每在公開場合言必及上帝，引述聖經篇章裡的福音；平素熱衷團契活動、悉心奉獻，每週日則都上教堂做禮拜。他的三個小孩，也都是依循教會儀式中的術語來命名。

殊不知，上述這些都是表面。骨子裡，他是不折不扣的衣冠禽獸、披著羊皮的狼、巧言令色的小人、卑鄙陰險的渾蛋。

像這種受過高等教育的社會敗類，不公佈他的姓名怎麼行呢？

他叫做袁敦誠。這三個國字請別看錯了：袁-登-誠。

他是我的畢業專題論文指導教授。不，應該說他「曾」是我的畢業專題論文指導教授。

我早已正式跟他恩斷義絕、劃清界線了。

就我在提交更換畢業專題論文指導教授的申請時，驚動了全系上下。系主任與其他老師們如臨大敵，開了好幾次系務會議激辯我的申請案。他們慎重其事的態度，就好像我想要更換的不是指導教授，而是我的親生父母般。

雖說「一日為師，終身為父」，但他們這樣做，也太小題大作了些。

「你要更換指導教授的理由是什麼？」

系務會議召開前，系主任坐在他的辦公室裡邊看我的申請書邊問我。

「主任，我不是已經在申請書上敘明理由了嗎？」

「這個理由太抽象了。」滿頭灰髮的系主任看了看我：「我想洗耳恭聽你真正的心聲。」

我猶豫片刻。系主任又鼓其舌簧道：

「同學，你不用畏首畏尾。儘管講吧，相信我。」

傻呼呼的我還真相信了他。

「當我去他的研究室裡討論畢業專題論文時，我的女朋友只要沒事，都會來陪我。」我娓娓道來：「只要我女朋友一出現，他就會抓著她聊天聊個沒完。起先他還很正經，之後就拿我女朋友的大胸部作文章，猛開她黃腔……」

「你的女朋友也是學生吧？」

「她是我的同班同學。」

系主任問出我女朋友的名字後，叫助教進來替他操作電腦，然後盯著螢幕乾咳兩聲，調頭對我說：

「她的畢業專題論文指導教授跟你一樣，也是袁老師嘛！」

「是的。」

「這就對了。袁老師跟她聊天，不過是在展現對學生的關懷而已，沒什麼大不了的。」

系主任揚手趕助教出去。

「可是，他還追問我女朋友的性經驗，以及偏好的性姿勢……」

「你聽錯了吧？眾所周知，袁老師不是那種人。」

「他甚至還會對我的女朋友上下其手！」

「這位同學，請斟酌一下你的措詞！」

被系主任厲聲警告後，我有點不服氣。

「是真的。我女朋友的背部、手臂、臀部、大腿這些地方，全都被他的鹹豬手摸過。」

「這個指控很重。你有證據嗎？」

「證據？」

「你有照片？影片？錄音？人證？」

「……暫時都還沒有。」

「那你就得先撤回你的指控。」

系主任反將我一軍，逼得我亮出底牌。

「更扯的是上禮拜六，他竟然Line給我女朋友，約我女朋友跟他單獨出去！」

「你的女朋友有去赴約嗎？」

「就是有去，才令我火大啊！」

我義憤填膺，系主任卻淡然處之：

「他們去了哪裡呢？」

「我女朋友死也不肯說。」

「他們出去做了什麼呢？」

「我女朋友死也不肯說。」

「他們出去了多久？」

「……三、四個鐘頭左右吧。」

「三、四個鐘頭？那一定是袁老師在指導你女朋友寫畢業專題論文啦。」

「不可能！」

系主任打岔道：

「你的女朋友也跟你一樣，想要更換畢業專題論文的指導教授嗎？」

「我勸過她了，她不想換。」

「喔？為什麼？」

「她沒說。」

「你有想過原因嗎？」

「……我想不透。」

「那不就結了嗎？」

「什麼？」

「內情呼之欲出。」系主任的嘴角閃過一抹微笑：「袁老師從頭到尾都沒有對你女朋友做過你指控他的那些事。」

「什麼？」

「你想嘛，如果袁老師做過那些事，你的女朋友怎麼可能還忍氣吞聲，繼續待在他的門下呢？」

「主任，你……」

「你的女朋友無意更換指導教授，不正代表她和袁老師兩個人都是問心無愧的嗎？」

「可是，主任……」

「一切都是你多心了。」

「主任，你怎麼可以單憑這一點，就推翻我全部的指控呢？」

「至於你的申請案，我們會在系務會議上議決的。」

「主任！」

「好了，別說了。回去用功寫你的畢業論文吧！」

4

在手機螢幕前專注良久後，坐在國產七人座休旅車第二排的詹東源抬了抬頭，活動起筋骨來。

坐在副駕駛座上的鄭承勳一聽到詹東源筋骨的「喀嚓喀嚓」聲，便別過頭來：

「帶種吧？」

黝黑捲髮的他上身的黑色毛衣被繃得緊緊地，該減肥了。詹東源把手機塞回褲袋，摘下眼鏡，揉著發紅的雙眼：

「敢在部落格上指名道姓地咒罵自己的老師，的確帶種。」

「不過，這個叫袁敦誠的大學教授也太沒品啦。泡自己指導畢業專題論文的女學生，還橫刀奪愛……」

「你還以為大學教授有多清高啊？別傻了。」

詹東源用他灰白直條紋襯衫的衣角擦拭眼鏡鏡片。

「清不清高，我們這種高職畢業的是不像你們那種大學畢業的那麼瞭解啦。」

鄭承勳酸溜溜地說。詹東源戴回眼鏡，望向車窗外數十公尺遠的捷運站。

藍色的捷運站口看似一頭史前巨獸的大嘴，不斷吸吐著人潮。雖然是星期四下午兩點多的冷門時段，天氣又陰陰寒寒地，熙來攘往的人潮卻讓張嘴的巨獸吸也吸不盡、吐也吐不完。

捷運站口兩邊的騎樓下方也滿滿地都是人，且性別與年齡層都分佈得相當平均……

「爆料人咧？」

鄭承勳把車內暖氣的風力調大後問。詹東源苦著臉，搖頭。

「我最討厭不守時的人了。」

「遲到一下下還好吧？」

「什麼一下下？」鄭承勳用下巴朝在駕駛座上仰頭打呼、綽號「大臉」的的宋偉傑努了努：「這位老兄睡了多久，我們的爆料人就遲到了多久。」

「那他睡了多久？」

鄭承勳看看車內儀表板上的時刻：

「少說，也有三十分鐘了。」

「我來Line給爆料人，問他到哪裡了。」

詹東源把手伸進褲袋裡拿手機時，被鄭承勳阻止道：

「有求於人的是他，不是我們。我們別雞婆，讓他來聯繫我們。」

他的工作年資比詹、宋兩人都久，深諳這一行的生存之道。有什麼事是需要做的、有什麼事是不需要做的，他瞭然於胸。

不需要做的事，就別脫褲子放屁，多此一舉。譬如，打電話去聯繫遲到的爆料人。

既然老鳥都這麼說了，詹東源便將右後車窗降下一半，點燃香煙，對著車窗外吞雲吐霧起來。

冷風灌進車內，鄭承勳「嘖」了一聲，掌心比了個向上的手勢，詹東源只好把車窗往上升一些。

不曉得是不是煙抽太兇的緣故，近來詹東源攬鏡自照時，鏡中人已日益憔悴。

頂著雞窩頭、垂著唇角的臉面黃肌瘦，瞇瞇眼下的兩坨黑眼圈濃得像是被烙印上去的傑作。好久沒秤的體重，應該也掉了不少。

要戒煙嗎？他心知肚明，那是辦不到的。

要減煙嗎？如果每天少抽一包煙，自己定會哀哀叫。如果只是少抽幾根煙，又達不到健康的目的。

……

不管怎樣，先抽完手上的這根再說吧！

就在他吞吐的煙霧之外，捷運站口的電扶梯間，冒出個鬼鬼祟祟的年輕男子。

那是名頭戴毛線帽、單肩掛著背包的年輕男子，眼神閃爍而慌忙。他朝詹東源坐的休旅車這邊瞥了一眼，然後從背包裡笨拙地掏出墨鏡與口罩戴上。

原意是要低調，但這兩樣行頭卻讓他欲蓋彌彰，想不引人注目也難。

詹東源就這麼看著年輕男子東張西望，足踏小碎步而來。年輕男子欺近休旅車的右後車門後，就從微開的車窗向內喊道：

「喂！喂！是週刊的狗仔嗎？」

魯莽的傢伙，把詹東源的耳膜都喊痛了。

再怎麼痛，這也是工作的一部分。詹東源降下車窗，還沒開口，副駕駛座上的鄭承勳就率先發難，對年輕男子吼道：

「叫什麼叫？你誰啊？」

「我……」年輕男子退卻道：「我是有去你們的專網爆料的謝……謝浩平。」

「謝浩平？跟我們爆過料的人那麼多。光這樣講，我怎麼知道你是要幹麼？」

鄭承勳歙張著鼻孔，再給謝浩平個下馬威。謝浩平囁嚅道：

「我是前天，星期二上網爆料的。」

「爆料內容呢？」

「大學教授的婚外情。」

「那大學教授叫什麼名字？」

「他姓袁，叫袁敦誠。」

謝浩平互搓雙手取暖後，報出袁敦誠任教的校系-齊修大學科技管理學系。在這麼冷的天氣裡，他竟連件外套都沒穿。

「袁敦誠？」鄭承勳以他惡整爆料人的一貫手法「審問」在車外罰站的謝浩平：「他的婚外情對象是？」

「被他指導畢業專題論文的女大學生。」

「什麼生？你戴著口罩，我聽不見。」

謝浩平取下口罩，覆述道：

「被他指導畢業專題論文的女大學生。」

「那女學生姓什麼叫什麼？」

「她叫夏敏禎。」

謝浩平的口臭飄進車內，逼使鄭承勳的頭向後仰。

「夏天的『夏』？」

「對。」

「敏呢？」

「敏是敏銳的『敏』；禎是左邊一個『示』部、右邊一個真假的『真』。」

「夏敏禎是你的同學嗎？」

謝浩平點頭後，在寒風中悲涼地發著抖：

「而且，還是我的女朋友。」

「這麼說，你的女朋友被老師給……」

早就知情的鄭承勳似笑非笑，教謝浩平無言以對。

詹東源熄了煙頭，輕拍鄭承勳的肩，那意思是「夠啦，我們整人家也整得差不多了吧」。

鄭承勳遂對謝浩平報以微笑：

「上車吧。記牢了，我們是『特勤組』組員，不是什麼狗仔不狗仔的。」

執著於職稱的他說。詹東源打開右後車門，把第二排的右座讓給謝浩平後，自己則移坐到左座去。

「冷死了、冷死了……」

坐進車內的謝浩平摘下棒球帽與墨鏡口罩。他鬼吵鬼叫時，被詹東源問道：

「既然冷，幹麼不多穿一點啊？」

「我是窮學生啊，沒錢買衣服。」

近看之下，謝浩平生了一對凸眼珠與厚唇，被凍紅的鼻頭像顆癟草莓，堪稱其貌不揚。

詹東源向謝浩平介紹自己與坐第一排的兩位同事。還沒介紹完，謝浩平就事不關己地點出他手機裡的照片給詹東源看。

「你看，這就是我的女朋友夏敏禎。很正吧？」

照片中的夏敏禎身著薄織衫與短褲，站在曼谷的四面佛前巧笑倩兮，是位濃眉大眼的美女。

「嗯，滿正的。」

外貌上，她跟謝浩平一點也不匹配。不由得說，在這世上鮮花插在牛糞上的組合還真不少。

詹東源不解。謝浩平不是說他自己是個窮學生嗎？既然他又醜又沒錢，條件優異的夏敏禎為什麼要跟這種人湊合在一起呢？

謝浩平又把夏敏禎的照片秀給鄭承勳看。對美女過目不忘的鄭承勳只掃了一眼，就對謝浩平說：

「你這張照片之前有上傳給我們吧？我已經看過了。」

「看過啦？」

謝浩平有些失望，想再把照片秀給駕駛座上的宋偉傑看。

「喂喂，起床啦。」

鄭承勳搖醒宋偉傑。留平頭的宋偉傑勉強睜開無神的雙眼：

「喔……幹麼吵我啦？」

「爆料人來了啦，他要給你看目標的照片。」

宋偉傑只花了半秒鐘掃視謝浩平的手機後，就問鄭承勳道：

「目標出現了嗎？」

鄭承勳一說「還沒」，宋偉傑就閉上眼、頭靠回椅背：

「拜託，等目標出現了再叫醒我。」

他這種教人不敢恭維的工作態度，就連在跟主管開會的時候也是如此。昨天，他就刻意挑了個主管得用餘光才掃得到的角落，明目張膽地在會議室裡打起盹來。

會議中，十來位同事以三位為一組，被主管分派到不同的爆料線上去：有的專責跟拍花心的偶像男歌手、有的專責跟拍出軌的民意代表、有的專責跟拍有變裝癖的金控公司基金經理人。

而詹東源、鄭承勳與宋偉傑這三位老搭檔，則被分派到袁敦誠這條線去。

往昔道貌岸然的大學老師們，近年來的感情世界愈來愈光怪陸離，與學生間不乾不淨的牽扯時有所聞。要不是袁敦誠常上政論節目而小有名氣，也引不起主管特別的關注……

「大臉！」

被主管點到名時，宋偉傑火速張眼坐直。

「你打爆料人留的手機號碼，去查證一下。」

已經是大家再熟悉不過的例行公事了，主管還要像帶新人一樣，叮囑個性散漫的宋偉傑。

「啊？什麼手機號碼？」

「爆料人在我們爆料專網上留的手機號碼啊。」

「是哪一條線的爆料網？」

「袁敦誠與女學生的婚外情啊！」

「袁敦誠？袁敦誠是誰？」

主管氣得假睫毛都快掉了下來：

「你剛剛都沒有聽我講喔？阿鄭，你來打。」

「怎麼又是我啊？」鄭承勳看向詹東源：「每次都是我，這次該輪小詹了吧？」

「好吧，小詹，這次就偏勞你了。ＯＫ吧？」

主管就是這樣沒什麼原則，誰好使喚就使喚誰；不好使喚的人卻可以置身事外。詹東源揚眉道：

「OK啊。」

「好極了。」主管將塗滿唇蜜的嘴往上翹。每當她要對某位部屬委以重任的時候，就會這麼誇人：

「小詹，就知道你最可靠！」

會後，詹東源在辦公室裡連撥了三次電話才接通。

「是齊修大學科技管理學系四年級的謝浩平同學嗎？」

「我是。」

電話那頭盡是嘈雜的引擎聲。這個謝浩平正在路上騎車吧？

詹東源報上自己的姓氏以及任職的週刊名稱：

「關於你在我們專網上爆料的內容，也就是後天上午十一點鐘，大學教授袁敦誠與女學生兩個人相約在捷運站，要去屏東的『愛相隨』民宿來個三天兩夜遊的事……」

「怎麼了嗎？」

「我們想向你查證，這件事是否屬實？」

「幹，當然是真的囉！」

雖然謝浩平說第一個字時聲如蚊蠅，還是被詹東源聽出來了。

「確實沒弄錯人嗎？是大學教授袁敦誠？」

「還會有哪個袁敦誠？你告訴我。」

「時間與地點呢？都沒有錯嗎？」

「拜託！你們還懷疑啊？」

謝浩平的語調愈趨不悅。

各種脾氣的爆料人都有。無怪乎，鄭承勳會對向他們查證的差事能推就推。詹東源耐住性子說：

「請問，你是怎麼知道這件事的呢？」

「我看了袁敦誠傳的私訊啊。」

「你是從他的手機裡看到的嗎？」

「不是。」

「那就是從女學生的手機裡看到的囉？」

「是啊。」

「你沒事偷看人家的私訊幹麼？」

「偷看人家私訊？」謝浩平回嗆道：「她是我女朋友啊！」

「是你的女朋友啊？你們是同一所學校的學生嗎？」

「我們是同班同學。你問那麼多做什麼？」

「這只是我們週刊的查證程序。」

「這位先生，你還要再問下去嗎？」謝浩平打開天窗說亮話：「我可是看得起貴週刊，才願意爆料給你們。而且，我也已經把袁敦誠與我女朋友的照片都上傳到你們的專網了。你們如果還不信，明天自己去堵堵看，不就知道了？」

「我們會去的。」詹東源鎮定以對：「不過你也知道，照片有時候不一定能跟本人對得上。」

「那你還要我怎樣呢？」

「你後天在學校裡有課嗎？」
「後天？後天？我沒課。」
「沒課的話，就來捷運站幫我們指認一下。」
「指認袁敦誠與我女朋友給你們看嗎？」
「是的。」
「要跟你們約幾點呢？」
「你最好比他們提早半小時到。」
「提早半小時，那就是上午十點半到囉？」
「不要遲到喔。」
「不會的。喂，指認完我就可以走了吧？」
「還不行。」
「啊？」
「你得跟著我們一起行動。」
「我也要去屏東？」
「是的。」
謝浩平頓了十幾秒鐘。
「可是，你們狗仔在出班跟拍的時候，不是都不大帶爆料人同去的嗎？」
「凡事都有例外，不是嗎？」
「有我這個外行人跟進跟出，會讓你們礙手礙腳的吧？」

詹東源換了拿電話的手，義正辭嚴道：

「我問你，你不想親手抓到袁敦誠這個現行犯嗎？」

「這……」

「你不想英雄救美，把自己的女朋友從袁敦誠的魔爪中拯救出來嗎？」

「……」

「這種機緣百年一見，可不是人人都遇得到喔。」

「是嗎？」

「尤其是面對大學教授這類臉部辨識度較低的目標時，我們更需要你的幫助了。」

「聽你這麼說，我不去好像都不行了。」

「你知道就好。」

藏鏡人就要走到幕前了，這讓謝浩平一改囂張的氣焰，開始婆婆媽媽起來：

「我需要帶些什麼嗎？」

「基本上不用；你人來就可以了。」

「我們會在那邊過夜嗎？」

「會。」

「那換洗衣物也不用帶嗎？」

「你要不要帶換洗衣物是你的事；我自己是不會帶啦。」

「你不洗澡就對了？」

「就算我想洗也洗不了啊。」

「為什麼？」
「因為我們夜宿的地方不會有浴室。」
「我們夜宿的地方是在？」
「車上。」
「啊？車上？」謝浩平直率地問：「為什麼不睡房間呢？」
「我們有任務在身。何況，公司也沒那個預算。」
「我可不想在車上夜宿。車上是要怎麼睡啊？」
「我是可以幫你訂一間房。但是，你得自費……」

「來啦來啦！」謝浩平高分貝的呼喚，將詹東源從追憶中喚回現實：「看到我女朋友了！」
在謝浩平的指認下，戴灰色針織球帽、穿黑色雙排扣羊毛呢外套、打摺格紋短裙與棕色長靴的夏敏禎背著鼓鼓的帆布雙肩後背包，在捷運站口飄然而現。
她個子很高，將近有一百七十公分，在人潮中鶴立雞群。精心打扮後，本人比照片來得更為上相。
詹東源與鄭承勳由車窗縫隙，持相機連續拍下她的倩影。
「大臉！目標出現了！」
鄭承勳叫醒了沉睡中的宋偉傑。這時，詹東源看見謝浩平瞪直了雙眼，癡望著遠方的夏敏禎。
人醜是醜，但對於自己的女朋友，倒是用情很深啊。
詹東源心想。說時遲、那時快，夏敏禎一個甩頭，邁開長腿，往緩慢停靠在特勤組前方的一輛黑色雙B休旅車走去。

鄭、詹兩人對準這一幕，將手上相機的快門鍵按個不停。

「那臺雙B休旅就是袁敦誠的車嗎？」

鄭承勳邊按快門邊問。謝浩平答得堅定：

「如假包換啦！」

「這車要兩百萬吧？什麼時候，連大學教授也是爽缺了？」

從夏敏禎打開雙B休旅車的右前車門坐進副駕駛座、關上右前車門到雙B休旅車閃左方向燈，駛離捷運站口，全部過程僅耗時三秒鐘，乾淨俐落。

「大臉！目標坐車走啦！快跟上去！」

「知道了啦！」

在特勤組三年，宋偉傑早就練就了隨時能老僧入定、隨時又能上緊發條的本事。

他抖擻起精神，放下手煞車，將自動排檔推入D檔，踏深油門而去。

5

特勤組的國產七人座休旅車以數個車身的間距，尾隨雙B休旅車穿越市區後，從郊區的匝道口駛進南向的三號高速公路上。

「路況如何？」

詹東源沒問開車的宋偉傑，卻探頭到副駕駛座問鄭承勳。

「還好。」從擋風玻璃看出去的鄭承勳比手畫腳：「南下車道的車還不算多。可怕是對向的北上車道，在快到中和交流道前，就開始塞了。」
「我看看……真的咧，車陣好長啊。」
「是不是？而且動都不動。」
「好慘啊。其實，鐵路也好、飛機也好、高鐵也好，我們臺灣樣樣都不缺，結果在高速公路上還是塞成這樣。」
「因為有車階級還是照舊開車。就算有兩條南北向的高速公路，還是不夠用……」
袁敦誠在雙B休旅車的每面車窗上都貼了黑鴉鴉的隔熱紙，從車外怎麼看也看不透。特勤組所能做的，就是儘力以平穩的車速，由詹、鄭兩人輪番拍攝雙B休旅車的車尾。
拍夠了，詹東源就先閉目養神補起眠來。
連日來的疲累，讓詹東源這一睡，再甦醒時竟已到臺灣尾的屏東了。
七人座休旅車跟著雙B休旅車在春日鄉的平面道路上開著開著，就左轉進入山區的產業道路，蟠曲而上。
沿路，宋偉傑將車開得如履薄冰，既不能跟丟雙B休旅車，又要提防事跡敗露。
他偶然減速，讓排在後面的車插隊到前面來，擋在七人座休旅車與雙B休旅車間作為掩護。如果插在七人座休旅車前面的車愈來愈多，他再加足馬力超個一、兩臺車回來。
往覆讓車、超車了好多遍後，產業道路的兩旁開始湧現一戶一戶的民宅。
在好幾戶民宅的一樓都經營著傳統的柑仔店。雙B休旅車將車頭一拐，在一間較大的柑仔店門口停下。

特勤組見狀，也將七人座休旅車遠遠地停在另一間柑仔店前。

從雙B休旅車的駕駛座裡大步邁出個穿橘色羽絨外套的高壯男子。男子梳沒有明顯分線的西裝頭，戴方型鏡框的近視眼鏡，下顎有團黑黑的鬍子。

走起路來，肩膀誇示地上下擺動；雙目向上仰視，不可一世。詹東源與鄭承勳再度拿起相機，猛按快門。

「這臭屁臭屁的傢伙就是袁敦誠嗎？」

詹東源問謝浩平。這時候，副駕駛座上的夏敏禛也下了車，與高壯男子一前一後走進柑仔店。

謝浩平可能還沉陷在女友琵琶別抱的打擊中，呆視前方的眼神渙散，只哀怨地點了點頭。

袁敦誠與夏敏禛足足在柑仔店內消磨了二十分鐘，才雙雙提著鼓鼓的塑膠袋，返回車上。

雙B房車向前續行了半個多小時。左彎進一條立有「愛相隨」看板的碎石坡道後，矗立在坡道盡頭的，是一處紅色的歐式小木屋民宿。

宋偉傑將七人座休旅車繞到更前面的一條小路上，尋尋覓覓，停在一個可俯看小木屋的制高點。

袁敦誠與夏敏禛先後下車，開始搬卸車上的行李箱與塑膠袋。

兩人有說有笑，互動非常親密。若非一個是有婦之夫、另一個已名花有主，相貌出眾的他們還真是天造地設的一對。

他們走入接待室。不旋踵，一位中年婦女就帶他們出接待室，從環繞在小木屋外牆的階梯走向第四幢小木屋二樓的房門前。

中年婦女帶完路下樓時，剛過晚間六點鐘。

袁敦誠與夏敏禎將行李箱與塑膠袋還留在小木屋的前陽臺上，兩人就魚貫入房，並關上房門。從半掩的窗簾內，浮現兩人貼牆熱吻的剪影。

「哇，已經迫不及待了啊……」

鄭承勳幸災樂禍道。詹東源偷瞄了謝浩平一眼。只見也往小木屋那邊瞧的謝浩平面如槁木，不發一語。

6

在特勤組所有的跟拍任務當中，最教詹東源痛恨的部分，就屬「等待」了。

杵在一個定點，通常是目標所在的住家、飯店或汽車旅館等建築物周遭，等待目標露面。尤其是像現在這樣，已經超過凌晨一點半鐘了，還要犧牲睡眠，熬過漫漫的長夜。

算一算，特勤組的七人座休旅車在原處已停了七個多小時。在這七個多小時裡除了去小便，他都在車上堅守崗位，或悶頭玩手遊、或與同伴聊天玩桌遊殺時間。

肚子餓了，就吃在便利商店買的小包零食充飢。

他從車窗向外望去，小木屋裡的偷情男女身處暖呼呼的房內，倆人頭倚著頭躺在床上看電視，並互玩親親。

反觀自己，卻只能反穿著黑色呢大衣蜷縮在七人座休旅車內，呼吸冰冷的空氣，往嘴裡塞零食補神。

宋偉傑與鄭承勳上身蓋著外套，在第一排的座位上睡得很沉。

一個人值夜，說有多悶就有多悶。每當這種時候，詹東源都深覺自己從事的是全天下最教人吐血而沒有營養的職業。對於兩年前輕率投身特勤組的決定，懊悔莫及。

一失足成千古恨啊……

嘴裡這又鹹又辣的零食，更是與袁、夏二人那頓豐盛的銅盤烤肉晚餐沒得比。食材是他們從半路上那間柑仔店裡搜括而來的戰利品。從手上拍攝範圍達七十公尺遠的長鏡頭數位相機的液晶螢幕觀看時，詹東源狂吞口水，欽羨不已。

分我一口，只要分我一口就可以了……

銅盤烤肉的香味，應該也飄到了樓下。

在兩人正樓下的房間裡，住著不顧特勤組反對，執意要到小木屋裡過夜的謝浩平。

「你們是狗仔，我又不是，幹麼要跟你們一起睡車上啊？」

七人座休旅車在路邊才一停好時，謝浩平就這麼說。女友移情別戀，他心情惡劣，開口閉口也不再留情面。

「你也要跟目標一樣，住在這小木屋裡？不太好吧！」

鄭承勳不以為然。謝浩平反唇相譏道：

「難道你們要擅離職守，送我去別的地方住嗎？」

「就算要住小木屋好了，你又沒有先訂房，入住得了嗎？」

「你們也看到啦，小木屋還有空房間不是嗎？」

「隨他吧。」詹東源為謝浩平護航：「我已經替他訂好房了……」

「你替他訂好了？」鄭承勳怏怏地說：「如果他在小木屋那邊跟目標不期而遇，那該怎麼辦？」

「這樣，總可以了吧？」

謝浩平癟了癟嘴，戴回毛線帽、墨鏡與口罩。
「下午在捷運站的時候忘了告訴你，你這樣會適得其反的。」
這一回，換鄭承勳癟嘴了。
「那也無妨，別讓他們認出是我就行了。」
「唉，你要怎麼吃晚餐呢？」
「我背包裡頭還有兩個潛艇堡，餓不死的。」
「這麼說來，你是住定小木屋了？」
「是的！」
鄭承勳搖頭、搖頭、再搖頭。
「那麼，請你遵守一項規則。入住後，直到明天退房前，請不要擅自離開房間一步，更不要去敲目標的房門。」
「……」
「你做得到嗎？」
謝浩平既沒說好，也沒說不好。他單肩背起背包，推開右後車門，一隻腳跨出車外時，被詹東源叫住了：
「等一等，你會感冒的。」
詹東源把自己多帶的一件紅色連帽風衣遞給謝浩平。謝浩平扳起臉孔接過風衣時似乎還嫌詹東源雞婆，連「謝謝」也沒說一聲。
「請不要擅自離開房間、不要去敲目標的房門。」

鄭承勳又對謝浩平告誡了一次。晚間六點三分，謝浩平跳下了七人座休旅車，頭也不回一回。

7

萬籟俱寂……

直至凌晨兩點十分，詹東源喚醒睡在第一排的宋偉傑與鄭承勳時：

「兩位，不妙了、不妙了……」

「怎麼啦？」

鄭承勳瞇著眼問。

「我剛剛因為要去車外小便，所以把架在車窗邊的長鏡頭數位相機從靜態照片切換成動態影片拍攝模式。回來一看，發現拍到了不得的東西啦。」

「拍到什麼了？不會是拍到鬼吧？」

「不是鬼啦。」

「那是什麼？」

詹東源將相機從拍攝模式切換成播放模式後，按下倒轉鍵：

「你們自己看吧。」

鄭承勳與宋偉傑的臉齊湊在相機的液晶螢幕前。詹東源鬆開倒轉鍵後，螢幕上出現的是小木屋房間窗戶內的俯視畫面。

畫面左方顯示凌晨兩點三分的即時時刻，背景被大床的下半截占據。床單皺巴巴地，床上空無一人。

畫面右方隱約可見薄型電視的一角。鄭承勳與宋偉傑將目光從大床與薄型電視間的地板向上游移時，看到了一些奇怪的線條。

由於室內的光源不夠強，頃刻之間，難以分辨出那些線條是什麼。

這樣的畫面持續了有一、兩分鐘，像是在測試兩人的耐性似地。終於，畫面上方的線條有了變化。

一雙穿藍白拖鞋的腳從畫面上方漫步到中央。那是穿著白色浴袍，頭髮只吹了個半乾的袁敦誠。

鄭承勳與宋偉傑這才恍然大悟。那些不明究理的線條，原來是浴室的門檻以及門扇的底部。

袁敦誠走出浴室後，面向窗外，張手按摩起他眼窩周圍的穴道來。

按著按著，他回頭對著浴室的方向，嘴裡唸唸有詞。由於拍攝距離過遠，錄不到他的聲音。

鄭承勳與宋偉傑猜袁敦誠不是在自言自語，而是在跟夏敏禎說話。沒在畫面中的她，人應該是在浴室裡。

剛洗完鴛鴦浴嗎？她那高挑的身段，在鄭承勳與宋偉傑兩隻雄性動物的腦中閃躍著。

等會兒她從浴室出來，和袁敦誠連袂上了床後，可就有好戲看了。

鄭承勳當狗仔多年，深知目標偷情時全程都會謹慎、謹慎再謹慎，不是鎖門就是關窗，弄得神秘兮兮地，所以特勤組從戶外幾乎拍不到目標在密閉空間內親熱的即時畫面。

像袁敦誠和夏敏禎這樣，「辦起事」來窗戶和窗簾大開都無所謂的男女，實不多見。

搞了半天，詹東源說的「了不得」的東西，就是液晶螢幕裡即將上演的限制級場面嘛。

香豔而火辣的限制級場面……

鄭承勳與宋偉傑拭目以待。五、六秒鐘後，畫面中的袁敦誠將頭轉至畫面右方。

袁敦誠猶疑了一下，終於下定決心似地，向畫面右方走去。鄭承勳與宋偉傑知道，那是房門的方向。

袁敦誠打開房門後，從門外衝進一個人。

此人的頭正好被切在畫面外。他上身穿著傍晚時詹東源借給謝浩平的紅色連帽風衣，下半身被薄型電視給遮住。

而他瘦乾的體形也與謝浩平的特徵相若。鄭承勳看了，狠皺起雙眉。

這個成事不足、敗事有餘的傢伙。不是告誡過他不可以擅自離開房間，更不要去敲目標的房門嗎？

這對師生冤家路窄，分外眼紅。雖然鄭承勳與宋偉傑聽不見聲音，也看不到學生的表情，但從老師那大開大闔的嘴形，也可想像出兩人間的口角有多激烈。

接著，也很難判定是誰先開始動粗的，反正師生倆就在畫面右方裡時而跺腳、時而互推起來，肢體動作頻頻。

儘管年紀較長，但從老師幾個回推的勁道顯示，人高馬大的他並未落居下風。

學生屢攻不下，急得伸長胳臂，往老師臉上揮了一拳。撫著臉頰的老師毫不示弱，也以左勾拳回敬。

局面愈發失控。挨揍的學生向後跌了一跤，隨後衝上前來，抄起薄型電視前的煙灰缸，猛敲老師的頭。

一下、兩下、三下、四下……

等到失心瘋的學生停下手來，老師已經滿頭是血地倒在地板上了。老師身上的白色浴袍，被他自己的鮮血染紅大半。

可能是一時還反應不及，闖下大禍後，學生站在原地，呆立了好幾秒鐘。

終於，他扔下手中的煙灰缸，掉頭而去。

影片至此結束，全長五分十七秒。鄭承勳與宋偉傑回望著詹東源，大半天說不出話來。

「怎麼樣？很勁爆吧？」

如果不是先看過影片，詹東源大概也這麼調侃不出來。

宋偉傑張開乾涸的嘴問詹東源：

「所以，你拍到了一件兇殺案了？」

「可不是嗎？」

「但是……」鄭承勳插話道：「袁敦誠真的死掉了嗎？」

「他的頭都被敲成那樣了，還不死？」宋偉傑說：「你沒看到謝浩平都嚇得畏罪潛逃了嗎？」

「他逃掉了嗎？」

「要不要我再把影片倒回去給你看？」

「在畫面裡，謝浩平是逃出了袁敦誠的房間沒錯。但是，他是逃回他自己的房間裡了，還是逃下山了呢？」

「當然是逃下山囉！誰殺了人，還會留在現場給警察抓啊？」

可能是分泌了過量的腎上腺素，讓宋偉傑難得多話起來。

「那可不一定。謝浩平沒有交通工具，他要怎麼逃下山呢？」

「嗯……他可以偷車啊。」

「偷誰的車？」

「偷袁敦誠的車啊。」

鄭承勳指往窗外：

「你自己看停車場，袁敦誠的雙B休旅車還在不是嗎？而且，謝浩平的臉長得也不像有汽車駕照的樣子。」

「是嗎？那他應該是徒步逃下山了。」

「這裡是深山耶，他用徒步的能逃多遠呢？」

「狗急跳牆，他可能想能逃多遠就逃多遠吧。」

「等等！」詹東源從鄭承勳與宋偉傑手上搶回相機，將影片倒帶至謝浩平闖進袁敦誠房間時的凌晨兩點三分處：「我們要報警嗎？或者應該說，需要由我們來報警嗎？」

「是啊。」宋偉傑也慌了手腳：「我們現在該做什麼？還是什麼都不要做？」

詹、宋二人齊望向車內最資深的鄭承勳。鄭承勳沉吟道：

「我先打通電話給謝浩平吧。」

「然後呢？」

宋偉傑問。鄭承勳說：

「如果他關機或者是沒接電話，我們聯絡不上他的話，就報警吧。」

「如果他接電話了呢？」

「那要看他人在哪裡。如果他逃下山了，我們也報警。」

「如果他在他房間裡呢？」

「那我們就叫他過來。」

「過來幹麼？」

「來澄清一下，剛剛那影片裡的內容是怎麼回事。」

「這樣好嗎？他才殺過人呢……」
「你怕什麼？我們這裡有三個人呢。三對一，你還怕？」
「那，我先拿一下我防身用的小刀……」
宋偉傑伸手在腰包裡摸索。詹東源將相機的液晶螢幕面朝上，放在身旁的座位：
「大臉，你的相機借我一下。」
「你要幹麼？」
「我留個備份，以防萬一。」
詹東源把宋偉傑的相機貼近自己的相機，切換成動態影片拍攝模式，然後按下自己相機的播放鍵，近距離翻拍剛剛那段影片。
翻拍完成後，詹東源將宋偉傑的相機物歸原主時，得到鄭承勳的稱讚：
「小詹這麼做是對的。」
於是，鄭承勳拿起手機撥了謝浩平的號碼，並將手機的通話聲轉成擴音，讓同事們都能聽見。
嘟……嘟……嘟……
「都殺人了，應該不會再接電話了吧……」
宋偉傑嚷嚷著。鄭承勳搖頭：
「很難說。」
鈴聲又響了十餘次。正當鄭承勳要掛電話的時候，被謝浩平接起來了：
「喂？」
聲音異常疲憊。

「我是週刊特勤組的鄭承勳。你現在人在哪裡啊？」

「在哪裡？」謝浩平氣沖沖地回道：「我在床上睡覺啊。」

鄭承勳問得小心翼翼：

「睡覺啊？是睡在你小木屋房間的床上嗎？」

「不睡在我床上，是睡在誰的大腿上嗎？你三更半夜把我吵醒，就是為了問這種笨問題？」

又吃炸藥了。

「所以，你還在小木屋裡囉？」

「這麼晚，我還能去哪裡？你有什麼事？快講，很冷呢。」

「既然你還在小木屋，可否請你過來我們車上一下。」

鄭承勳邊說邊環視他的兩位同事時，謝浩平的回話聲拔尖了起來：

「現在？」

「是啊，現在，請你來一下。」

「為什麼？」

「是生死交關的事，你非來不可。」

鄭承勳並沒有危言聳聽。

「你們來我房間不行嗎？」

「不行，一定要你來。」

「我在睡覺你知道嗎？」

「我知道，可是你現在不是醒了嗎？」

「我能說不來嗎？」
「就跟你直說好了。如果你不來，我們就會報警。」
「報警？幹麼要報警？」
謝浩平走音了起來。
「你人來再說吧。」
「不來不行嗎？」
「你不來，我們就報警。」
「你在虛張聲勢吧？」
「絕不是。」
謝浩平在電話那頭沉寂許久後，終於讓步道：
「什麼東西啊？好吧……」

8

月明星稀。
七人座休旅車上的三位週刊特勤組員同將自身的長鏡頭相機鎖定小木屋，從液晶螢幕監看袁敦誠與夏敏禎住的房間。
任誰看，房內都沒什麼變：淩亂的床單、地上的行李、仰躺的袁敦誠、袁敦誠浴袍上的血跡，以及掉落在牆角的煙灰缸……

跟影片中的結尾部分差不了多少。車窗外淒冷的山景，也一如既往。唯一變的，是從小徑逐漸向七人座休旅車逼近的紅色人影。

那正是應特勤組所請而來的謝浩平。

謝浩平伸出插在紅色連帽衣口袋裡的左手，輕叩休旅車的右後車窗。詹東源深深吸氣後打開右後車門，將謝浩平與夜半的山上寒氣一併迎進車內。

謝浩平吊著眼角、沉著臉入座：

「你們是有什麼事啊？」

「你看看這個。」

鄭承勳開門見山說。他從前座轉過身來，手持詹東源的相機，在謝浩平的眼前播放了那段影片。

愈看下去，謝浩平的臉就愈是慘白。

駕駛座上的宋偉傑則一直沒有轉過頭來。他的右手指，抓緊了腰包裡的瑞士刀柄。

影片還沒播完，謝浩平就先發制人：

「你們怎麼會有這段影片的？」

鄭承勳指了指詹東源：

「是小詹值夜時拍到的。」

「這影片跟我又有什麼關係？」

「你說呢？」

「我說？我怎麼會知道？」

「影片中的那件紅色連帽衣，很眼熟吧？」

「有嗎？」

謝浩平愈說愈小聲。鄭承勳乘勝追擊：

「不就是你身上的這件嗎？」

「這……你看錯了吧？」

「你做過什麼事情，自己心裡有數吧。」

「我做過什麼事情啊？」

鄭承勳晃了晃手上的相機：

「都在這裡面了。你有什麼要澄清的嗎？」

「哇！那是什麼？」

謝浩平驚叫道。特勤組員從他手指的方向，朝擋風玻璃外看去。

謝浩平揪準時機，一把搶過鄭承勳手上的相機，打開右後車門，箭步如飛地奔進夜幕裡。

被這麼弱智的騙術輕易得逞，特勤組自責不已。

9

《部落格》（之二）

這是一個不公不義的社會！我再講一次：這是一個不公不義的社會！

一旦出了事，沒有人會挺身而出為你主持公道。我對系裡那些自掃門前雪的教授們寒心，對跟袁敦誠一個鼻孔出氣的系主任更是寒心！

已經不對他們存任何指望了。一切，都只能靠我自己。靠我這隻小蝦米，獨力對抗袁敦誠那條大鯨魚。

可是，自從我向系主任告發後，姓袁的就採取「不接我電話」、「不回我訊息」、「避不見我」的「三不」政策。無論我在公開與私下場合如何叫陣，他都不予理會。

連鳥都不鳥我。面對這種厚臉皮的人，我已無能為力。

另一方面，色慾薰心的他仍不斷對我的女朋友伸出魔掌。昨晚我接獲同學密報，說他打算找我女朋友出去過夜。

過夜！時間就在這個週末；地點在屏東春日鄉山上的「愛相隨」民宿。

我女朋友還欣然答應了。這是真的嗎？天呀！我的人生是怎麼啦？

我很想去質問她，她是哪跟筋不對了？但我知道，一問，她就會發火，嫌我管她管太多，不給她自由的空間，讓她喘不氣來，人都快要窒息了……

什麼嘛！快窒息的人應該是我吧。

我的忍耐也是有限度的。如果可能的話，我恨不得姓袁的能一秒內就從這個地球上絕跡。一秒內！

已經受夠他了。

別以為我好欺負！我要讓他知道，為了我的女朋友，我什麼事都做得出來！

查了官網之後發現，那間「愛相隨」民宿是去年底才營業的歐式小木屋。照片中，小木屋那「人」字形斜屋頂下的赭紅色建築被群林圍繞，沐浴在豔陽下閃閃發亮。

照片旁的文宣文詞並茂，不外乎是該民宿景觀佳、詢問度高，評價也不錯，堪稱是南台灣情侶最新的熱門投宿點……

看到最後一句話時，我火冒三丈。

「南台灣情侶最新的熱門投宿點」？姓袁的是因為這句話，才找我女朋友去那裡的嗎？

他在想什麼啊？寡廉鮮恥的東西。他什麼時候跟別人的女朋友變為一對情侶了？

於是，我決定了。

我要跟上「愛相隨」民宿去，和姓袁的攤牌，算清總帳！

這一次，我不只要挽回我的女朋友，還要把他勾搭女學生的醜陋行徑錄影存證，公告周知，讓他在學術圈身敗名裂！

證據會說話。有了我拍的影片，他必死無疑。

大學教授又怎麼樣？大學教授了不起喔？不要小看我。即使是小蝦米，也是有本事毀掉大鯨魚的。

呸！袁敦誠，我不會再怕你了啦！

10

謝浩平腳底抹油後，鄭承勳便打電話報警。

警方趕到案發現場時，房內僅有斷氣的袁敦誠一人。驗屍後，死亡時間估算為凌晨兩點至三點間，與詹東源拍到的影片相符。

夏敏禎一回房間便受到警方層層詰問。她展示自己手機裡的某通簡訊，如實交待蹤跡。

我也在這裡。嚇到了吧？凌晨兩點正，到小木屋對面山頭上的涼亭來。敢放我鳥的話，就公開妳當袁敦誠小三的事！

簡訊的接收時間為案發前晚十一點二十一分，發送者就是謝浩平。

案發當日的凌晨兩點三分，當詹東源開始拍攝影片時，夏敏禎已經遠離小木屋的房間去涼亭赴謝浩平的約了，這就是從開頭到結尾她都沒有在影片中露臉的原因。

可是……

「那個叫謝浩平的傢伙壓根兒就不是我的男朋友。」她對警方鄭重聲明：「他只是個有重度妄想症的死變態，三頭兩頭又是電話、又是留言、又是簡訊、又是私訊地，還常賴在我家樓下不走，我已經被他搞得不勝其擾了……」

因此她懷著一顆忐忑的心，坐在涼亭裡頭苦苦守候。

最終沒等到謝浩平，倒等到了上山來的警車。不用說，這是謝浩平的調虎離山之計。藉故支開自己的心上人，好闖入只有袁敦誠在的房間內行兇。

然而，通往涼亭的山路以及整座涼亭都被兩幢小木屋擋個正著，所以即使是七人座休旅車上的狗仔，也無法為她案發時的「涼亭說」作證。

民宿老闆邱太太向警方表示，案發前晚，自己十一點不到就鑽進接待室後的臥房早早就寢。睡得很沉的她並未聽聞到袁敦誠的房間有何異況，直到被警笛聲給吵醒。

她打包票，袁敦誠師生三人是案發時小木屋內僅有的兩批房客。

警方也從地毯式的搜查中獲知，除了鄭承勳、詹東源與宋偉傑外，案發時並沒有別的外來者接近過小木屋一帶，而製作了一份案件時刻表。

案發前日	
上午十一點	謝浩平與三位週刊狗仔在捷運站會合。
	袁敦誠與夏敏禎到捷運站。
下午五點四十五分	謝浩平與狗仔們跟蹤袁敦誠的車到「愛相隨」民宿。
下午六點	袁敦誠與夏敏禎入住小木屋。
下午六點三分	謝浩平入住小木屋。
案發當日	
凌晨兩點三分	在七人座休旅車上值夜的狗仔詹東源，開始以影片模式拍攝袁敦誠與夏敏禎的房間。
凌晨兩點六分	詹東源拍到謝浩平闖入袁敦誠的房內，與袁敦誠爆發衝突。
凌晨兩點八分	影片中，謝浩平用煙灰缸多次敲擊袁敦誠的頭。袁敦誠倒地後，謝浩平奪門而出。
凌晨兩點十一分	詹東源將拍到的影片播放給同事鄭承勳與宋偉傑看。
凌晨兩點十七分	詹東源將影片翻拍。
凌晨兩點二十三分	鄭承勳打電話給謝浩平。

凌晨兩點三十分

謝浩平來到七人座休旅車上，看詹東源拍的影片。

凌晨兩點三十五分

謝浩平搶了詹東源的相機，逃出休旅車外。

謝浩平很快就在不遠的山路上被警方人贓俱獲。

搶來的數位相機被他隨手扔在樹下；相機內的記憶卡則被他折成兩半，丟進樹叢間的水窪中。

警方從他紅色連帽衣的口袋裡搜出黑色與白色兩隻手機。案發前晚那通調虎離山的簡訊，以「已發送訊息」的狀態，儲存在他的黑色手機裡。

與留有多枚指紋的白色手機相反，在黑色手機上採集不到任何指紋。警方認為，這就如同他對待相機的記憶卡一樣，是在湮滅證據。

「這通簡訊不是我打的，也不是我發送的。從我住進小木屋的房間起，我就找不到我這支黑色的手機了，還以為是忘在家裡了呢。」他的遁詞還不止於此：「而且，整晚我都沒出過房間半步。我對天發誓，本人既沒有去什麼涼亭見我女朋友，更沒有上樓去殺人……」

可能是吃定了營運六年的「愛相隨」民宿未裝設監視器材、小木屋周邊又乾又硬的土壤難以留下鞋印，以及警方在案發現場的房內採集不到邱太太、袁敦誠與夏敏禎以外的指紋與毛髮吧，無論是簡訊還是袁敦誠的死，一律被謝浩平撇清到底。

作為兇器的煙灰缸上也半枚指紋都沒有。檢測房內的血跡來源，也僅屬袁敦誠一人……

蒐證處處碰壁，因此被詹東源拍到的影片，對警方而言彌足珍貴。

然而，存取影片的記憶卡已被謝浩平毀損，宋偉傑相機記憶卡中的翻拍影片，就成為警方唯一的希望。

翻拍影片送交專家鑑定後，鞏固了以下的事實：

第一，影片的拍攝時間，係從案發當日的凌晨兩點十七分至二十二分，即詹東源給鄭承勳與宋偉傑看過原版影片後，到謝浩平被鄭承勳叫回休旅車上之間。

第二，影片全長五分十七秒，與三位狗仔宣稱的原版影片長度相同。

第三，影片的內容，與三位狗仔宣稱的原版影片內容相同。

第四，原先顯示在原版影片畫面左方的即時時刻，亦即原版影片的拍攝時間從案發當日的凌晨兩點三分至八分的數字，也統統被捕捉到影片的畫面中。

第五，刪去了此影片的拍攝時間：案發當日的凌晨兩點十七分至二十二分——造假的可能性。

儘管翻拍後的畫質欠佳，加上畫面中僅出現兇手頸部以下的上半身，但警方一遍遍觀看影片並比對實物後，還是能夠斷定：兇嫌身上穿的，正是案發前晚詹東源借給謝浩平的那件紅色連帽衣。

於是全案偵察終結，謝浩平被檢方依殺人罪嫌提起公訴。

11

「柯老師，如何？像……袁敦誠這種咖，是不是死有餘辜啊？」

坐著泡湯的吉娃娃一手扶住蓋在她頭上的毛巾，一手在湯裡扠起腰來慷慨激昂。

「是說他違背信仰、私生活不檢點而跟女學生搞七捻三的這一塊嗎？」我將手機歸還給她：「吉靜如同學，妳被文章裡那兩段部落格的文字煽動而感情用事，卻輕忽了全案諸多的疑點。」

「疑點？有什麼疑點？」

吉娃娃用木盆往她的香肩倒水，滿不在乎地說。

「我一一剖析給妳聽。案發時，除了死者袁敦誠外，小木屋方圓百里之內就只有夏敏禛、謝浩平、民宿老闆邱太太與三位狗仔等六個人在，對不對？」

「……對啊。」

「殺害袁敦誠的兇嫌，就在這六個人中。Agree？」

「……Agree。」

「法醫估算袁敦誠的死亡時間為凌晨兩點至三點間。據詹東源拍到的影片，可以把這個時間範圍再限縮為兩點三分至八分間。我們就來檢視一下在這五分鐘裡，那六個人的不在場證明。」

吉娃娃扳著被泡得紅通通的手指頭算道：

「夏敏禛……人在小木屋幾百公尺外的涼亭裡……」

「那是她這麼說，警方並沒有小木屋周邊找到她往返涼亭的鞋印……」

「文章裡不是有寫，那是……土質的關係嗎？」

「那麼，夏敏禛有人證嗎？」

「……人證？」

「她在往返涼亭的路上，以及人在涼亭裡的時候，有遇到過什麼人嗎？沒有，她都是一個人。謝浩平並沒有去涼亭赴約，他和視線被小木屋擋住的三位狗仔，都不能為她作證。」

「所以……兇手是夏敏禛？」

「稍安勿躁，吉靜如同學。再過來是謝浩平與邱太太，他們同樣也沒有人證與物證支持他們案發時在各自房內熟睡的說詞。至於三位狗仔，案發時鄭承勳與宋偉傑在七人座休旅車的第一排座位上夢周公，詹東源則在第二排的座位上值夜。乍聽下，好像沒什麼破綻……」

「……不是嗎？」

吉娃娃的眼睛愈睜愈大。

「這只是他們的片面之詞。他們是同事，難保不會有串證之虞。」

「柯老師疑心他們三人中……有人是兇手，而有人是共犯嗎？」

「這也不無可能。」

「所以柯老師，他們那六個人……誰都不可信囉？」

「嗯，可以這麼說。」

吉娃娃將握緊的雙拳貼臉，假裝害怕的樣子：

「我從來不知道，柯老師的城府這麼深啊……」

她這番言論，就森永結衣的事來說，也算歪打正著啦。

我忙消毒道：

「哪有啊？我只是就事論事。那麼，犯案的物證呢？案發現場的房內有鞋印嗎？沒有。指紋呢？有袁敦誠、夏敏禛和邱太太的。毛髮呢？同樣只有袁敦誠、夏敏禛和邱太太的……」

「柯老師，不是有……狗仔詹東源拍到的影片嗎？那可是……鐵證如山啊！」

吉娃娃泡在湯裡的軀體隱沒在湯面上大大小小的泡沫之下，看也看不著，掃興之極。

「講到『鐵證如山』的影片。」我佯作不經意地將泡沫撥開：「我得獨排眾議，說那正是全案最大的疑點。」

「怎麼……這麼說咧？」

吉娃娃跪坐的美腿線條，在泡沫間若隱若現。

「那段影片是檢方起訴謝浩平時最有力的物證。可是，畫面中有拍到謝浩平的臉嗎？並沒有耶……」

「但是，有拍到……那件紅色的連帽衣啊。」

「那只能說明穿紅色連帽衣的人是兇手，並不能證明穿紅色連帽衣的人就是謝浩平啊。此外，畫面中的兇手行兇後，扔下煙灰缸人就跑了，對不對？但是警方在煙灰缸上卻沒有採集到任何指紋，這不是很匪夷所思嗎？」

「這個……」

狐疑間，吉娃娃將她跪坐的雙腿向前伸展，令我小鹿亂撞了起來。

「第二個疑點，是影片的來源。」

「這會有什麼疑點？不就是……詹東源拍的嗎？」

「吉靜如同學，警方握有的影片是詹東源後來翻拍的，不是原版的喔。」

「那有什麼差？原版影片該有的……長度與內容，翻拍影片一樣都不缺啊。」

「好，我問妳，在翻拍影片的畫面中，也拍到了顯示在原版影片畫面左方的即時時刻，對不對？」

「對啊。」

「也就是原版影片的拍攝時間，從凌晨兩點三分到八分對不對？」

「一點……都沒錯。」

「可是，拍攝日期呢？」

「……拍攝日期？」

「是呀。原版影片所拍到的畫面，是發生在哪一天的凌晨兩點三分到八分呢？」

「柯老師在說什麼啊？當然是……案發當天啊！」

「誰能斷言呢？」

「警方的鑑識專家不是已經刪去了……影片的拍攝時間造假的可能性嗎？」

我冷笑道：

「他們所刪去的，是翻拍影片的拍攝時間造假的可能性，而不是原版影片的拍攝時間造假的可能性。」

「什麼？原版影片……」

「詹東源翻拍原版影片的時間是案發當日的凌晨兩點十七分至二十二分，但是原版影片的拍攝時間是在被他翻拍不久前的凌晨兩點三分到八分嗎？」

「……」

「所謂的『原版影片』，會不會是在上個月、去年，或是幾年前某日的凌晨兩點三分到八分所拍攝的呢？不，連凌晨兩點三分到八分的時刻，都可以藉由修改相機的時鐘設定而造假。就因為將所謂的『原版影片』交給警方會有被鑑定出拍攝時間造假之虞，所以才要讓所謂的『原版影片』毀損，然後將拍攝時間萬無一失的翻拍影片交給警方……」

「毀損影片的人，不是……謝浩平嗎？」

吉娃娃又用木盆往她的香肩倒水。這一倒，湯面上的泡沫散得更開了。

「他那麼做，等同助兇手一臂之力。如果他沒那麼做，兇手應該也會有讓所謂的『原版影片』佚失、只能將翻拍影片交給警方的備案……」

「兇手是……」

「兇手就是預先拍攝好原版影片的人；兇手就是為了嫁禍給謝浩平，罔顧狗仔出班的行規，非要謝浩平這個爆料人同行的人；兇手就是故意攜帶在原版影片中亮過相的紅色連帽衣出班，並外借給謝浩平的人。」

「這麼說……」

「兇手就是偷了謝浩平的黑色手機，冒謝浩平之名在案發前晚傳簡訊給夏敏禎的人；也是在案發後，力主翻拍影片的人。」

「所以，兇手是……詹東源？他有什麼動機，要殺害袁敦誠呢？」

「他把動機，都寫在文章中那兩段部落格裡了。」

「是報女朋友被袁敦誠搶去的仇嗎？」吉娃娃詫異道：「可是，那不是……謝浩平的部落格嗎？」

「部落格通篇都沒有寫出『我的女朋友』就是夏敏禎，是吧？」

多想握住她的足踝，將她的雙腳向左右分開：

「嗯，好像是……」

吉娃娃滑著手機說。

「這是其一。第二段部落格裡有段文字是這樣寫的……」

查了官網之後發現，那間「愛相隨」民宿是去年底才營業的歐式小木屋。照片中，小木屋那「人」字形斜屋頂下的赭紅色建築被群林圍繞，沐浴在豔陽下閃閃發亮。

「……有什麼不對勁嗎？」

「而在警方將謝浩平人贓俱獲的記述裡，有段文字是這樣寫的……」

可能是吃定了營運六年的「愛相隨」民宿未裝設監視器材、小木屋周邊又乾又硬的土壤難以留下鞋印，以及警方在案發現場的房內採集不到邱太太、袁敦誠與女學生以外的指紋與毛髮吧，無論是簡訊還是袁敦誠的死，一律被謝浩平撇清到底。

「啊……」

「抓到矛盾的地方了吧？部落格發佈時，『愛相隨』民宿『去年底才營業』；而案發時，『愛相隨』民宿已經『六歲』了。既然案發時謝浩平是大四學生，那麼他就絕不可能是案發五年前的部落格版主！那時候，他才只是個高中生，哪會有部落格裡寫的遭遇啊？」

「因此，和謝浩平同病相憐，心上人也在撰寫畢業專題論文的……大四那年慘遭袁敦誠染指的那位版主，就是詹東源嗎……」

吉娃娃費了一番手腳，登入齊修大學的「畢業紀念冊電子版」專區後，果然在大謝浩平五屆的科技管理學系頁面中，攔截到詹東源的資料。

12

……

證據會說話。有了我拍的影片，他必死無疑。

大學教授又怎麼樣？大學教授了不起喔？不要小看我。即使是小蝦米，也是有本事毀掉大鯨魚的。

呸！袁敦誠，我不會再怕你了啦！

詹東源說到做到。

寫完第二段部落格的那個週末，他果真將數位相機與腳架塞進他那部中古機車的置物箱內，套上自己的招牌紅色連帽衣後，一路顛簸地騎到「愛相隨」民宿。

凌晨兩點，當他在小木屋對面的山徑居高臨下拍攝時，從未拉上窗簾的窗戶看進去，房內袁敦誠的醜態鉅細靡遺。

才洗好澡的他半披著浴袍，手腳並用，將自己的女朋友強壓在床。而自己的女朋友半推半就，笑得花枝亂顫……

詹東源愈看愈氣。再不去攔胡，生米就要煮成熟飯了。

還顧不得關掉相機上的錄影鍵，他就蹬著球鞋，沒命地朝袁敦誠的房間狂奔而去；繼而揮動重拳，在房門上死勁狂敲。

並扯足嗓門，用髒到極點的字眼辱罵前來應門的袁敦誠。哪知道當老師的毫不含糊，回罵學生的語句更加下流。

詹東源妒火中燒、惱羞成怒……

當詹東源恢復意識時，人已回到他居高臨下拍攝的山徑，不在小木屋裡了。自己衣衫不整不說，手上還沾了血跡。

怎麼會這樣？

他關掉相機的錄影鍵，倒帶播放影片，藉以還原失去的記憶。

時光倒流至凌晨兩點。畫面中，才洗好澡的袁敦誠半披著浴袍，手腳並用，將自己的女朋友強壓在床。而自己的女朋友半推半就，笑得花枝亂顫。

然而，袁敦誠並未得手，因為自己的女朋友笑嘻嘻地用雙腳頂開發情的老師後，就走進了浴室，並關上浴室的門。

袁敦誠在床上呆坐到兩點兩分，然後去敲浴室的門。門打開，他人擠了進去。

然後是三分鐘的房間空畫面。兩點五分，袁敦誠步出浴室，面向窗外按摩雙眼。

按著按著，他回頭對著浴室的方向，嘴裡唸唸有詞，是在跟浴室裡自己的女朋友說話。

兩點六分。袁敦誠猶疑了一下後，終於下定決心似地，向右方的房門走去。打開房門後，從門外衝進一個穿紅色連帽衣的人。

雖然在畫面中看不到那人的臉與下半身，但詹東源心中有底，那就是花了五、六分鐘從山徑奔向小木屋去找袁敦誠理論的自己。

接著下來的口角與肢體衝突，乃至於自己失控持煙灰缸攻擊袁敦誠後落荒而逃的畫面，直看得詹東源心驚肉跳。

兩點九分。自己的女朋友戒慎恐懼地走出浴室，扶起倒在地上的袁敦誠。

滿頭是血的袁敦誠醒來後不住咳嗽。自己的女朋友拿毛巾替他止血，並做簡易的包紮。

一週後，詹東源與袁敦誠達成和解的交換條件：前者不揭發後者偷腥之舉，後者則不控告前者傷害。

即使如此，自己的女朋友還是決意離詹東源而去，讓詹東源懷著一顆破碎的心從學校畢業。

在職場載浮載沉五年後，謝浩平這位學弟的爆料，再一次勾起詹東源的新仇舊恨。

只能用一句話送給袁敦誠，就是「狗改不了吃屎」。

詹東源對著自己與前女友的合照起誓，必將袁敦誠這個賤種從學術界，不，從人世間鏟除，以免遺禍無窮。

袁敦誠選了與五年前偷腥時的同一間民宿，讓詹東源暗呼「天助我也」。

為了伸張正義，勢必得拉謝浩平作替死鬼。

於是，詹東源以電話遊說謝浩平同去「愛相隨」民宿。案發前晚，詹東源將自己那件紅色連帽衣借給謝浩平，並順手牽羊了謝浩平的黑色手機。

謝浩平入住小木屋後，就在鄭承勳與宋偉傑入睡的案發前晚十一點二十一分，詹東源用謝浩平的黑色手機傳簡訊給夏敏禎，將夏敏禎在凌晨兩點時誘離房間。

案發當日凌晨兩點六分，與五年前的同一時刻，詹東源悄離七人座休旅車後，潛入了袁敦誠的房門口。

前來應門的袁敦誠穿著與五年前一樣的民宿浴衣。詹東源不囉唆，抄起房內薄型電視前的煙灰缸，就往袁敦誠的腦袋招呼過去。

一下、兩下、三下、四下……

袁敦誠應聲倒地後，詹東源再用自己的衣角將煙灰缸表面的指紋擦拭乾淨。

凌晨兩點十一分，詹東源回七人座休旅車。他叫醒鄭、宋二人，播放相機記憶卡那段五年前就拍好的影片中，沒有出現他前女友的兩點三分至八分的段落，並加以翻拍。

兩點三十分，謝浩平被叫回七人座休旅車上看影片時，詹東源再將指紋被擦掉的黑色手機塞回謝浩平的口袋裡。

當謝浩平張皇脫逃時，陰錯陽差地幫詹東源毀損了會被警方鑑定出拍攝時間造假的原版影片，讓詹東源無牽無掛……

13

我和吉娃娃的泡湯初體驗，就在我揉和幻想與事證建構的詹東源故事聲中落幕了。

「吉靜如同學，這個茶餘飯後的故事還是一樣，妳知、我知就好。」我從湯裡站直，往湯邊走去時，又對吉娃娃打起預防針來：「如果拿去警方那邊嚼舌根，只怕就丟人現眼了。」

吉娃娃也扶緊身上的浴巾從湯裡站直道：

「可是……柯老師，警方抓錯人了耶，這樣也無傷大雅嗎？」

「抓對、抓錯都是他們的職責。我們只是市井小民，沒有置喙的餘地。就讓凱撒的歸凱撒，上帝的歸上帝吧。」

我還引用聖經為我的歪理擦脂抹粉。但吉娃娃的解讀，卻教我哭笑不得：

「也就是……看在『衛浴設備』的份上，我們把我們自己顧好就對了吧？」

衛浴設備？嗯……

快十一點回到房間時，吉娃娃說她不去洗個澡，就會渾身不自在。

洗澡？泡湯時，不就可以「摸蛤仔兼洗褲」也順便洗個澡嗎？我如果這麼發言，會被愛湯人士集體公幹吧？

「柯老師……不洗嗎？」

「我？」我聞聞手背：「又沒什麼硫磺味，我還是響應政府的節水政策好了。」

「那麼……柯老師，我去洗囉。」

吉娃娃進浴室時，我驚鴻一瞥到她那白得像乳汁一樣的美背。

那麼，我去洗囉。

這不是情人間要「那個」之前的臺詞嗎？

洗得香噴噴地，我才好吞得下去。她也太周到了吧！

浴室內蓮蓬頭的水聲一出，我便春心蕩漾起來，左手也不自主地往自己的雙腿根部下探……

吉娃娃、吉娃娃、吉娃娃……

吉娃娃洗好澡，穿著民宿的浴袍出浴室時，我對她說：

「禮尚往來，我也洗一下好了。」

「……啊？什麼禮？」

「沒什麼。那麼……吉靜如同學，我去洗囉。」

竟被自己也拋出的這句臺詞給弄酥麻了。直到洗完澡出來，這滿腹的酥麻勁才被追悔莫及取而代之。

躺在床上的吉娃娃蓋著棉被哭喪著臉，嘟囔道：

「柯老師，不曉得是不是……泡湯的後遺症，我的頭好痛喔，痛得……快炸開了……」

「怎麼會這樣？」

媽的，說好的初夜呢？

「好痛好痛喔……」

她又哀嚎道。怎麼看，也不像在演戲的樣子，令我心疼不已。和水服下我給她的止痛藥後，我才去上了個廁所，她就在床上像豬一樣深眠而去，千遍、萬遍也喚她不起。

唉，既然她身體微恙，今夜我還是別趁人之危吧。

就因為晚飯後去泡了湯，所以我和她的初夜也隨之泡湯了。因為泡了湯，所以就泡湯了。這是有叫人不能不信邪的寓意嗎？

抓起車鑰匙的我這樣想著……

14

吉娃娃這一覺，活活睡到了翌晨十點多。

充了一晚的電，她神清氣爽，頭也不再痛啦，非拉著才睡了一小時、睏得要死的我去吃早餐不可。

「好啦、好啦……」

坪數不大的餐廳建在第一幢小木屋的一樓前，裡面只擺了五張木桌。早餐的菜色，是搭配鹹蛋、醬瓜、辣筍與魚鬆的中式稀飯。

單邊耳朵掛著口罩耳繩的老闆娘上菜時，向吉娃娃誇口道：

「美女，我們這邊的魚鬆來頭可不小，是產自東港的上等旗魚鬆喔。」

「旗魚鬆喔？我最愛吃啦，這不只是……小確幸，而是大確幸了。」吉娃娃拿鐵湯匙往放魚鬆的美耐皿碟裡猛舀時，問了句：「老闆娘，妳姓邱嗎？」

「是啊，我就姓邱啊。」

站在木桌旁的老闆娘說得大器，臉上卻不失警戒之色，這就是前年袁敦誠命案的效應吧。

吉娃娃氣定神閒，沒去踩人家的地雷：

「姓邱，那就對啦。我有一位日本朋友……是老闆娘的客人喔。她今年住過後，對這邊的風景、服務都讚譽有加，說妳們『愛相隨』民宿……有多好、多好、多好。我們就是……被她推薦而來的。」

「日本客人？是男的，還是女的啊？」

「……是女的。」

「多大歲數啊？」

「是……大學生。」

「日本客人、女的、大學生，她的名字……」老闆娘豁然開朗：「不會是叫『小宮亞實』吧？」

「哇，老闆娘……妳好機靈啊，就是她就是她……」二十歲的人用「機靈」來讚許五十來歲的人，似乎亂了套：「我還有一位叫……森永結衣的日本朋友，也是老闆娘的客人喔。」

「森永……結衣？這我可就……」

「也是女的、大學生……」

老闆娘去接待室抱了好幾本A3記事本來餐廳，翻了又翻：

「沒有這個人耶。」

「沒有嗎？」吉娃娃抓抓後腦杓：「可能……是我記錯了吧……」

「小宮亞實是個讓人難忘的好客人，人很有禮貌也很有教養，而且，很熱愛臺灣的風土人情呢。」老闆娘查著記事本說：「不過，她不是今年，而是去年十一月七日入住的。」

是啊，不熱愛的話，也就不會來北華大學當交換生了。

緬懷起往事的老闆娘把她手機裡跟小宮亞實的合照給我們看。合照中那長髮大眼、細皮嫩肉的東洋妹妹，召喚出被我塵封的回憶。

去年管理學院的交換生迎新晚會中，榮膺交換生代表而上臺致詞的她一鞠躬，開場白就說道：

「大家好，我是非常、非常、非常愛臺灣的小宮亞實。」

這樣的開場白，我們如果不報以如雷的掌聲，就枉為臺灣人了。

臺下的聽眾鼓完掌後，她淺淺一笑。當她繼續訴說對我們這塊土地的情感時，我還對坐在鄰座的資管系紀國淵副教授打趣道：

「要是每個日本人都能像她那樣，就好了。」

「要是每個日本人都能像她那樣，就好了。」

「愛相隨」民宿的老闆娘對吉娃娃說了一串小宮亞實的好話後，竟也語重心長，這麼歸結道。

【《尋找結衣同學I：不安的啟程》完，第II冊待續】

要推理33　PG1614

要有光
FIAT LUX

尋找結衣同學I：
不安的啟程

作　　者	胡　杰
插　　畫	迷子燒
責任編輯	喬齊安
圖文排版	周政緯
封面設計	蔡瑋筠

出版策劃	要有光
製作發行	秀威資訊科技股份有限公司 114 台北市內湖區瑞光路76巷65號1樓 電話：+886-2-2796-3638　傳真：+886-2-2796-1377 服務信箱：service@showwe.com.tw http://www.showwe.com.tw
郵政劃撥	19563868　戶名：秀威資訊科技股份有限公司
展售門市	國家書店【松江門市】 104 台北市中山區松江路209號1樓 電話：+886-2-2518-0207　傳真：+886-2-2518-0778
網路訂購	秀威網路書店：http://www.bodbooks.com.tw 國家網路書店：http://www.govbooks.com.tw
法律顧問	毛國樑　律師
總 經 銷	易可數位行銷股份有限公司 地址：231新北市新店區寶橋路235巷6弄3號5樓 電話：+886-2-8911-0825　傳真：+886-2-8911-0801 e-mail：book-info@ecorebooks.com 易可部落格：http://ecorebooks.pixnet.net/blog

出版日期　2017年2月　BOD一版
上下兩冊不分售，全套定價399元

Printed in Taiwan

國家圖書館出版品預行編目

尋找結衣同學 / 胡杰著. -- 一版. -- 臺北市 : 要有光, 2017.02
面 ; 公分. -- (要推理 ; 33-34)
BOD版
ISBN 978-986-94298-1-8(上冊 : 平裝). --
ISBN 978-986-94298-2-5(下冊 : 平裝). --
ISBN 978-986-94298-3-2(全套 : 平裝)

857.7 106000521

讀者回函卡

感謝您購買本書，為提升服務品質，請填妥以下資料，將讀者回函卡直接寄回或傳真本公司，收到您的寶貴意見後，我們會收藏記錄及檢討，謝謝！如您需要了解本公司最新出版書目、購書優惠或企劃活動，歡迎您上網查詢或下載相關資料：http:// www.showwe.com.tw

您購買的書名：______________________________

出生日期：________年________月________日

學歷：□高中（含）以下　□大專　□研究所（含）以上

職業：□製造業　□金融業　□資訊業　□軍警　□傳播業　□自由業

□服務業　□公務員　□教職　□學生　□家管　□其它_____

購書地點：□網路書店　□實體書店　□書展　□郵購　□贈閱　□其他

您從何得知本書的消息？

□網路書店　□實體書店　□網路搜尋　□電子報　□書訊　□雜誌

□傳播媒體　□親友推薦　□網站推薦　□部落格　□其他__________

您對本書的評價：（請填代號　1.非常滿意　2.滿意　3.尚可　4.再改進）

封面設計____　版面編排____　內容____　文／譯筆____　價格____

讀完書後您覺得：

□很有收穫　□有收穫　□收穫不多　□沒收穫

對我們的建議：______________________________

____

____

____

請貼
郵票

11466
台北市內湖區瑞光路 76 巷 65 號 1 樓
秀威資訊科技股份有限公司 收
BOD 數位出版事業部

....

（請沿線對折寄回，謝謝！）

姓　　名：＿＿＿＿＿＿＿＿　年齡：＿＿＿　性別：□女　□男

郵遞區號：□□□□□

地　　址：＿＿＿＿＿＿＿＿＿＿＿＿＿＿＿＿

聯絡電話：(日) ＿＿＿＿＿＿＿＿ (夜) ＿＿＿＿＿＿＿＿

E-mail：＿＿＿＿＿＿＿＿＿＿＿＿＿＿＿＿